"经营之圣"稻盛和夫《活法》书系之二

活法 贰

成功激情

成功への情熱

[日] 稻盛和夫（Kazuo Inamori）著

曹岫云 译

人民东方出版传媒
People's Oriental Publishing & Media
東方出版社
The Oriental Press

推荐序
经营企业的普遍正确的原理原则

2001年10月28日，在天津第一届中日经营哲学报告会上，我初次见到了稻盛和夫先生，聆听了他题为"经营为什么需要哲学"的讲演。当时我有一种邂逅人生真理的感觉。后来我找到了一句很贴切的话，可以形容我当时的感受："众里寻他千百度，蓦然回首，那人却在，灯火阑珊处。"

一个月以后，我专程去日本京都，拜访了日本盛和塾事务局本部和京瓷公司。当时拿到的第一本稻盛和夫著作，就是《成功激情》这本书。

这本书共有105个章节，每一个章节都来自于稻盛先生的切身经验，都是稻盛先生心血的结晶。因为书中充满哲理，所以让人百读不厌。读每一节我都有感动，不同时期读同一节，也往往会产生新的感悟。我把这种感动和感悟写在这本书的天头地尾。

2002年5月，在南京举办的第二届中日经营哲学报告会后的恳亲会上，我请稻盛先生在这本书的扉页上题字，他看到我在页面上写的许多批注，听了我讲的一些心得，非常高兴，不但欣然一笔一画、认认真真写下了“敬天爱人——稻盛和夫”几个字，而且居然叫来周围许多日本盛和塾的塾生看我标注的这本书，拍了许多照片，很让我受宠若惊。

后来在我写的《稻盛和夫的成功方程式》这本书中，我翻译并评注了《成功激情》中有关成功三要素的论述。我写的这本书，由稻盛先生亲自提议在日本用日文出版，结果竟然很畅销，这让我喜出望外。

经东方出版社反复恳求，我开始着手翻译《成功激情》这本书，再次一字一句推敲吟味，倍感亲切。

在这里我把翻译这本书时最重要的感想记录如下：

1990年京瓷并购了美国一万余人的大型电子零部

件企业AVX公司。稻盛先生没有从日本派遣管理团队，原美国的经营班子全部留任。稻盛先生要求美国的干部员工学习并运用京瓷哲学来经营AVX公司，开始时遭到了几乎所有美国员工的反对和抵制。他们认为稻盛的利他哲学只适合于日本，在个人主义盛行的美国根本行不通。日本和美国地理位置上距离十万八千里，东西方两种文化更是格格不入。稻盛先生的幻想一定会在现实中碰得头破血流。

当稻盛哲学传入中国时，类似的论调有过之而无不及。许多人认为，中国和日本国情不同，企业员工的素质不同，企业经营的环境不同。特别是中国在从计划经济走向市场经济的过程中，腐败猖獗，拜金主义横行，在敬己爱钱的社会风气中，要实践稻盛的敬天爱人的哲学，要做到“动机善、私心无”，简直是天方夜谭。

其实，在日本也一样。当稻盛先生临危受命，以78岁高龄出任日航会长时，日本社会的精英们几乎异口同声唱反调，他们认为在日航这种官僚和工会纠缠的企业里，没有稻盛先生的用武之地，没有所谓稻盛哲学发挥作用的前提。日本政府选错了人，稻盛先生的一世英名将在这里画上句号。

当然这种肤浅的负面意见事实证明是完全错误的。无论是1990年开始重生的美国AVX公司，还是2010年开始重建的日本航空都获得了卓越的成功。另外，在日本、美国、巴西和中国的盛和塾塾生企业里，凡是经营者率先垂范，以坚定的信念、纯粹的动机、强烈的愿望和坚韧不拔的意志以及不亚于任何人的努力，去实践稻盛哲学的企业，都取得了令人信服的成功。当然，经营者不肯以身作则，缺乏这样的信念、动机、愿望、意志和努力，单单从形式上引进稻盛哲学，那是不可能成功的。

这里有三条经验。第一，企业在导入稻盛哲学时都会遇到阻力，有时是很大的阻力；第二，经营者只有付出坚韧不拔的努力，导入才能成功；第三，只要经营者付出坚韧不拔的努力，导入就能成功。

《成功激情》这本书中的105个章节以及12节经营问答，是当年稻盛先生成功改造AVX这个大型美国企业的强大思想武器。这本书通俗易懂，格言警句俯拾皆是，读之如饮甘露，让人心旷神怡。因为具备穿透力，许多话语可能烙入你的内心深处。如果你仔细阅读这本书的内容，认真领会这本书的精神，你就会知道稻盛先生的成功是必然的，稻盛哲学是经营企业的普遍正确的原理原则。这样的经营哲学在人类历史上是没有的，在当今世界上是唯一的。而且“非不能也，是不为也”，这样的哲学，我们每个经营者都能学习，都能掌握，只要我们真心下功夫。

稻盛和夫（北京）管理顾问有限公司董事长　曹岫云

2015 年 1 月 28 日

自 序

这几年来，无论在经济上还是在政治上，世界范围内的巨大变动连续不断。这个时代被称为混沌迷乱的时代。那么社会混乱的根本原因在哪里呢？

我们人类曾经具备信仰，具备宗教性质的伦理道德和行动规范，那是我们人类生活的判断基准。但是随着近代文明的发达，这样的伦理道德和行动规范却受到了轻视，我想这就是社会混乱的根源。

当今，无神论大行其道，作为现代思想受到追捧。当它成为一种风潮时，人类所需要的判断基准，即宗教性质的伦理道德和行动规范，便不再有人相信。在做人最重要的伦理道德消失后的现代社会中，究竟拿什么作为基准对事物做出判断，人们开始糊涂起来，大家对社会现象的巨大变化感觉困惑，对将来担忧不安，烦恼焦躁，手足无措。

然而，不管时代如何变迁，人的本质却不会变化。人生在世，最重要的事情，就是要想清楚："人的本质是什么？""正确的人生应该是怎样的？""作为人，何谓正确？"换句话说，就是要认真探求做人的最基本的伦理、哲学。在这一过程中，明确自身存在的意义，确立作为自己人生指针的人生哲学。

37年前（1959年）创办京瓷时，我既没有经营知识，也没有经营经验。当时的我，除了追求做人应该做的正确的事情之外，我不知道还有别的经营企业的方法。为此，我认真思考人生真正的意义，思考企业经营应有的理想状态，进而确立了我自己的经营哲学，并且，为了让员工们共有这种哲学，我殚精竭虑，不懈努力，一直奋斗到今天。

因此，自创业以来，京瓷持续快速发展。京瓷的发展为什么会如此顺利？当人们追问理由时，我总是回答："因为京瓷具备企业哲学，而且这种哲学已经为全体员工所共有。”

同时，以京瓷为母体的第二电电，为了获得持续的快速发展，也确立了正确的企业哲学；为了让员工们共有这一哲学，我们正在举办学习会，开展各种学习活动。

许多人要求我传授给他们带来成功的所谓“哲学”，简单来说就是“思维方式”。于是，我就把自己基本的思维方式归纳成书，书名为《提高心性 拓展经营》，于1989年由PHP研究所正式出版。

大约在6年前，京瓷并购了美国颇具实力的电子零部件企业AVX，这家企业员工人数达一万余人。一般来说，日本企业在并购海外企业时，都会从日本派遣经营团队去进行管理。

但是我认为，企业合并犹如结婚，最重要的是要构筑彼此之间心心相连的信赖关系。因此，在并购完成后，我让AVX的经营班子全部留任，我想做的是：尽快向对方传递京瓷的思维方式，并让美国AVX的干部员工共同拥有这种思维方式。

美国是一个个人主义盛行的社会，是一个优先追求个人利益的社会。在这种社会背景下，要让那些地位稳固的AVX的美国干部们接受我的经营哲学绝非易事。比如“不可将自己的才能私有化”“不可有私心”“工作的目的意义最为重要”“重要的是具备关爱体谅他人之心”等等。

这样的哲学他们很难接受，弄不好还会遭到他们的抵制——这就是当时我们美国法人代表的观点。

尽管有这样的意见，但我认为，如果不能让AVX的美国干部们理解京瓷的经营哲学，如果他们不能接受这种哲学，那么，就无法建立起彼此信赖的关系。于是我自己当起了讲师，举办学习会，给公司干部讲述京瓷哲学。

首先我将刚才提到的《提高心性　拓展经营》这本书的英文版本发给他们，要求他们谈读后感。不出所料，他们最初的反应是完全否定。他们的意见是：“这样的思想在日本能成功，在美国行不通”，“如果要这样去经营企业，我们无法追随”。

然而，我认为不分东西方，人的本质都是相同的，京瓷的经营哲学具有普遍性。所以只要我们以纯粹的心灵，心怀诚意，认真沟通，他们一定能够理解接受。抱着这样的信念，我来到学习会上。

我坦率地讲述我的思想，针对他们的疑问，我逐条予以回答，诚恳而且细致。这种认真的质疑问答学习会一次就长达数天，而这样的学习会我们反复举办。功夫不负有心人，最后他们这样说："您对于企业经营的思维方式，我们都听明白了。这确实是非常卓越的思想。因此，今后我们就依照您的经营哲学来经营我们的AVX公司吧！"

这个学习会的资料是一本叫作《A Passion for Success》的书。该书在《提高心性　拓展经营》（英文版本）的基础之上，新增我与AVX公司干部间的答疑环节，并以美国人容易理解的方式归纳编辑而成，去年夏天由美国的麦格劳希尔公司出版，《成功激情》是它的日文版本。

这个学习会产生了怎样的结果呢？我们与AVX的干部员工成了具备共同经营哲学的同志，彼此信赖，互相尊敬。同时，AVX公司的业绩大幅提升，这是并购以前无法比拟的。销售额6年间增加大约3倍，利润增加6倍，去年夏天在纽约证券交易所再次成功上市。

就是说，因为具有了正确的经营哲学，公司发展了，公司的员工们走上了更加幸福的人生道路。这个事实证明，具备哲学对于企业经营而言是何等的重要。同时我认为，具备正确的哲学对于每个人的人生来说也极为重要。

一开头我就提到，在混沌迷乱的现实社会中，多数人整天忙碌于生计，看不到人生的意义，甚至丧失了努力奋进的热情。但是，每个人的内心其实都有一种期望，都期望树立自己正确的人生观，都期望以燃烧般的热情去度过一个有意义的人生。

在本书中我尽可能地以通俗易懂的语言来表述做人应有的伦理道德和行动规范，因为我认为这才是最为重要的。我衷心期待，读者们在阅读本书以后，能够找到人生真正的价值。我祈愿本书能对诸位度过一个更加精彩的人生助上一臂之力。

稻盛和夫

1996年1月

目 录

contents

第一部分 人生怎样才能成功

第二部分　经营怎样才能成功

第一部分

人生怎样才能成功

第一章　成功方程式

在人生这出戏剧中

扮演主角的就是自己

人生如戏

所谓人生，就是由自己扮演主角的一场戏剧。但是，在现实生活的戏剧中，我们不仅要扮演角色，而且要创作剧本。一般的剧本，从一开始就知道故事的来龙去脉，知道故事的结局，但人生的戏剧则与此不同，这出戏怎么写、怎么演，全靠我们自己。

有人说，我们的命运在出生时已经注定。但我不赞成这种说法。我相信，人可以通过提升自己的心性、提升自己的思维方式来改变自己的命运。

不是说要与“命运”作无谓的抗争，而是为了扮演好自己希望的主角，就得把剧本写好。为此就需要锤炼自己的心灵与精神。而且这件事情只有尽早去做，我们才能尽早掌控自己人生的方向。这样，我们的每一天、每一个瞬间就能过得更真挚、更充实。

在人生的各个阶段，会出现许多转折的机会。只有主动追求机遇，拼命努力，我们才能够抓住良机。但是如果缺乏明确的人生目的，没有使命感，那么再清晰、再美好的机会，都会同你擦肩而过，迅即成为过眼烟云。

在人生这幕戏剧中，自己积极充当主角、积极书写剧本的人，与缺乏目标意识、懒散庸碌混日子的人之间，会产生巨大的差距。

向长辈学习

在我们年轻的时候，父母、老师或者别的长辈会教育我们，告诉我们应该如何对待人生。每当此时，我们在无意识中会产生抵触情绪。比如，我的父母经常会唠叨说："千金难买少年苦。"我立即就会顶嘴："那你们的少年苦可别卖啊！"

在青春时代，我们难免会产生强烈的逆反心理，但是，我们决不可忘记父母和师长们教给我们的人生道理。

当我们开始步入自己的人生之旅时，宛如没有指南针的小船划向大海。

因此，随着年龄的增长，我们需要一种心理准备，就是在遭遇困惑的时候，我们应该想起长辈们的谆谆教诲，把这种教诲作为人生的指南针。

在这样的时候，如果我的哲学能起到指南针的作用，能帮助大家摆脱困境，我将感到十分欣慰。在诸位中间，或许有人对我的说教有点反感，或者毫无兴趣。但是，在工作中，在日常生活中，当你们遭遇挫折或障碍时，我想你们一定需要一种基准，这种基准能够把你们的判断引向正确的方向。

我的哲学是我自己在艰苦的工作中、在人生的烦恼中、在认真的思索中，渐渐领悟的。我想，或迟或早，在你们的人生中也会有同样的经验。

追求高层次的人生目的

迷失了人生的目的，一味追求霎时间的欢愉，抱这种人生态度的年轻人正在增加。他们为什么而工作呢？为了赚取薪水，以供休闲娱乐之用。

但是，过不了多久，他们就会感觉空虚甚至厌倦。

安逸的生活方式，开始时或许会让人觉得轻松愉快，但结果却很难让人感到充实满足，人总会追求更高层次的生活目的。

不管时代如何变迁，人的本质不会改变。人心思善，人总要追求进步，总想给后人留下永久性的、有价值的东西。“全力投入工作，对社会对世人做出贡献，我就会感到幸福。”谁都期望度过这种充实而满足的人生。

或许有人不同意这种生活态度，但我从心底相信，这种真挚的人生态度胜过一味贪图安逸的生活方式。人生阅历丰富的人能够理解我的人生观。但是很遗憾，许多年长者在将自己的人生观与年轻人分享时，表现出犹豫不决：“时代变了，年轻人已经听不进这类陈旧的说教，所以还是不说为好。”

但是我相信，只要是肺腑之言，只要话语中充满真心诚意，照样可以引起几乎所有人的共鸣。

诚实地正视自我

人并没有自己想象的那么聪慧贤明。

到了现在这个年龄，我已经能够比较客观地审视自己走过的人生道路。当回顾自己的人生经历时，我几乎是充满了后悔。我会反复自问自答："那个时候，为什么我竟会干出那样的蠢事？""以今天的观点来看，当初我理应做出更好的决断。"我常常这样反省自己。

孩童时代，当我过分急躁，想要贸然行事时，父母总会想方设法提出忠告，提醒我那么做会产生的后果。但就是父母他们自己在回首往事时，也有许多的懊悔。或者说，正因为他们年轻时经历过痛苦的失败，不想让自己的孩子重蹈他们的覆辙，所以才会告诫我，提醒我。

世代在交替，但人们犯的错误却总会历史性地重复。重蹈覆辙乃是常事。

如果能够预见未来，人或许就会更好地规划自己的人生，采取适宜的正确行动。但反过来可以这么说，正因为年轻时经历过失败和辛劳，人格才会成长，才会在往后的人生中变得坚强，变得有信念，才能获取成功和幸福。

为此，必须具备客观审视自己的纯粹之心，必须具备从过去的失败中学习的谦虚之心，必须在此基础之上不断地拼命地努力。

一步一步实现梦想

年轻的时候，我们往往拥有梦想，梦想在人生中取得伟大的成就。我们应该鼓励所有的年轻人都拥有这样的梦想。但是，年轻人应该懂得，想要成就伟大的事业，必须每天辛勤劳动，全身心投入工作。

不肯努力，最宏大的目标也不过是一个脱离实际的、单纯的梦想而已。只有努力——只有坚忍不拔、持续不断地进行有意义的努力——才能实现有价值的目标。

在人生的旅途中没有捷径，没有轻轻松松就能一步登天的魔梯。只能用自己的双脚一步接一步向前进。

或许有人认为，如此缓慢而且谨慎，似乎无法走完漫长的旅程，根本不可能成就伟大的事业。但是，请你不必焦躁。

一小步、一小步地不断积累，会孕育出“相乘效果”。每一天扎扎实实的努力所产生的小小成果，将成为继续努力的动力。而不停顿的努力又会带来更大的成果。不言放弃、再接再厉，在不知不觉中，我们就会攀登上连我们自己也无法想象的高峰。

“千里之行，始于足下。”无论是个人的人生，还是企业的经营，一步一步踏实前行，乃是实现梦想唯一可靠的途径。

成功方程式

“能力极为平凡的人怎样才能取得不平凡的成功？”下述简单的方程式可以回答这个问题。

人生的结果=思维方式 × 努力 × 能力

所谓“能力”，包括健康状况、才能、与生俱来的适应性等等，大多属于先天性的资质。但所谓“努力”，就是无论如何非如此不可的强烈愿望和干劲，这可以由自己的意志来决定。“能力”和“努力”可以分别从最低的 0 分到最高的 100 分予以评价。在工作中这两者是相乘的关系。

因此，即使没有杰出的才能，但明白自己的弱点，

为了弥补不足而燃起热情，付出不亚于任何人的努力。这种人同天生有才但骄傲自大、不作努力的人相比较，前者能够取得更大的成就。

第三个要素“思维方式”，是指一个人准备用怎样的精神状态投入工作，度过人生。“思维方式”可以在负 100 到正 100 的幅度之内打分。受妒忌、忌恨、憎恶等负面情绪支配的人，他的精神状态就是一个负数，那么最终他的人生也是一个负数。相反，一个正直向上、抱有积极思维方式的人，就容易取得成功，度过美好的人生。

观察这个方程式可以明白，人生的结果不是由别的，而是由我们自己的双手、靠我们自己的努力来决定的。同时还可以明白，“思维方式”对于人生和事业的成败，起着何等重要的决定性的作用。

一问一答：关于成功方程式

★这是京瓷刚刚并购 AVX 之后，我与 AVX 的干部们在哲学学习会上答疑的记录。

问：下面方程式是如何产生的？

人生的结果=思维方式 × 努力 × 能力

稻盛答：当我和几位同事决定创业的时候，我意识到，我们并没有什么经营企业的经验，不过是几个年轻的技术人员而已。然而，虽然我们能力有限，但我们能够获得成功。为了说服他们，我就想出了这个方程式。

实际上，因为我们并不具备超越常人的能力，所以必须在正确思维方式的基础之上，拼命工作，努力的程度必须超过那些比我们更聪明的人。

问：这个方程式的三要素是相乘而不是相加，这是为什么？

稻盛答：如果这三个要素是相加的话，那么天资聪明的人不做什么努力就可大大超过资质平凡的人。换句话说，不管你多么勤奋工作，都无法与才能出众的人竞争。但如果不用加法用乘法，那么只要你抱有积极向上的态度，满腔热情，不懈努力，即使才不出众，照样能够度过一个精彩的人生。事实也是如此。我们随处都可以看到，那些看来普通的一般人，因为满怀热忱、拼命努力，结果他们的成就超过了某些被称为“天才”的人物。

还有，即使是天才，即使生来就聪明能干，而且也勤奋努力，但如果他看不清人生的方向，只是一味在原地打转，终其一生，成果寥寥，干不出什么大事。最坏的例子是，那些将自己天赋的才能巧妙地运用于作奸犯科、不断做出错误努力的罪犯。一句话，如果“思维方式”是负数，一切结果都是负值。

问：“能力”“努力”“思维方式”三要素中，哪个要素最重要？

稻盛答：在同大家的交流中我意识到，对于“能力”和“努力”的概念，几乎所有人都会产生共鸣。但是让人遗憾的是，三要素中我认为最重要的“思维方式”这一项，人们却常常会忘记、会忽视。世界上没有比心灵扭曲的天才发奋努力更为危险的事情。

我大学毕业时，正当日本就业困难的时期。我接受过多家公司的面试，但没有一家企业肯录用我，焦躁之余，我闪出一个念头，干脆去当一个“罗宾汉”（Robin Hood是英国民间的侠客，1973年美国曾播放迪士尼动画片《罗宾汉大冒险》，一时影响颇广。——译者注）那样的绿林好汉吧。我想，既然世道这么不公正不公平，为了矫正这个扭曲的社会，当一个劫富济贫的罗宾汉式的人物，不是也很了不起吗？

如果真的按照这个想法走下去，今天的我就可能成为黑道上有名的人物。因为我具备一定的能力，具备期待成功的炽烈热情和坚强意志。但是，在这种情况下，我的“思维方式”从一开始就是负数，同样，人生的结果也只能是负面的。

第二章　能　力

人最伟大的能力

莫过于战胜自己的能力

做不到的事要如实承认

1955 年 4 月，大学毕业后初次就业时，我是一个地地道道的乡巴佬。此前从没有在大城市生活过，说话有浓重的九州地方口音。每当电话铃声响起，我都祈望有谁快来接听，因为我不想让别人听到我的鹿儿岛方言。总觉得自己处处不如别人。

后来我意识到，不应该被一种劣等感所支配，应该坦然承认自己的缺点，下决心努力克服它。这样就不会有过多的挫折感。

我对自己说："我是乡巴佬，从乡村大学出来，社会上的事情什么都不懂，缺乏常识，因此必须从最基本的东西学起，比任何人都要更努力。否则，我就无法成功。”

就是说，不否定自己的弱点，而是如实接受它，不必刻意掩饰，这样反会觉得轻松，这种态度是进步的起点。

实际上做不到的事，不要假装能做到。首先承认有做不到的事，才会知道自己应该怎样开始。

在京都一家小公司工作时，我学到了这一点。从那以后，在我的人生中，我曾多次对自己重复上面这些话。

超越平庸

现在的教育制度，只要各门课程勉强及格，就能升级，就能毕业。这同通过极大努力，取得门门优秀的学生，表面上似乎没有太大区别，及格和优秀一样能毕业。但两者之间，不仅是成绩差两级，而且包含更重要的本质差别。成绩全优的学生，为了出类拔萃，必须突破若干的壁障，而在这过程中，有时必须做出拼命的努力。

“满足于及格就行”，还是敢于不断地向“第一”挑战，不单纯是一个成绩高低的问题，这反映了两者精神上的差异。

如果要实现高目标，必须超越多重壁障，而最大的壁障，是自己一颗追求安逸的心。

只要战胜自己，就能克服其他壁障，取得卓越的成果。人有好逸恶劳的倾向，主动激励自己，不断克服困难向前进，是件难事。但是，当通过努力获得成功时，内心的喜悦是难以形容的。

人最伟大的能力，就是战胜自己的能力。

战胜自己

一个学生头脑不很聪明，但非常用功，以优异成绩毕业。另一个学生头脑很聪明，不用功照样轻松毕业。后者评论前者说："那家伙拼命死读书，成绩好有什么了不起，我要是认真起来，他才不是我的对手呢！"

毕业之后踏上社会，看到前者获得成功，后者又用"那家伙学生时代并不怎么样，我可比他强多了"这样的话来贬低同学。言下之意，自己的能力比成功者更强，更大的成功应该属于他自己才对。

事情果真如此吗？拼命死读书，意味着少玩乐，少看电视，少追求眼前的快乐，意味着必须战胜自己。同样，事业上获得成功，也意味着必须抑制贪图享乐的欲望，全身心投入工作。

战胜自己，需要强大的意志。在评价人的能力的时候，应该把意志的强弱考虑进去。意志软弱、回避与自身作斗争、一味选择安逸，这种人的能力应归于低劣。

在漫长的人生旅程中获取成功的能力，绝对不仅仅凭借所谓的“智能”。

胆大心细

人的性格大致可分两类。一种人细致、周密、一丝不苟，趋于内向；另一种人豪爽、大胆，趋于外向。织布需要经纱和纬纱，事业成功需要两种性格兼而有之。

历史剧中常有剑客登场，外表上显得漫不经心，甚至醉态可掬，但对背后偷偷袭来的敌手却不失警惕之心。拔剑，向后一击而中，观众为之喝彩。主人翁豪爽的外表之中，内藏着分毫不差的纤细神经。

光是大胆豪爽，难以将工作做到完美无缺；只靠细致缜密，无法产生挑战新事物的勇气。事业需要豪爽和细致这两种截然相反性格兼备的人物。在需要豪爽时做到豪爽，需要细致时做到细致。一个细心而敏锐的人，在积累了丰富的实践经验、并产生了真正的勇气之后，才算得上一个比较理想的人才。

生来就兼备两种性格的人很少，但是，不管原来是哪一种性格，只要通过有意识的努力，就可以兼备两种性格，而且让它们实现完美平衡。

豪爽的性格也好，细致的性格也好，为弥补和完善自己天生的气质，必须做出相应的努力。

抑制本能心

人生来就兼有本能和理性两个方面。要吃要喝，要争要斗，有占有欲，有妒忌心，所有这些，都是为了维持自己的生命，企求家族的繁荣，出于自我保护的本能。

人们往往基于这种本能，对事物进行判断，这就与动物没有区别。如果能够对状况进行客观的观察，人就应该可以做出更好的决定。

抑制本能非常重要，有意识地抑制本能，人的心中才会产生让理性可以进入的空隙，人才能进行逻辑思考。问题在于人在多大程度上，能用理性来控制自己的行为。

抑制本能并非易事，人缺少本能就无法生存。我并不主张完全排除本能，重要的是：人不能受本能的支配。我们应该用意志的力量来抑制住本能。

人服从本能是自然的事，所以抑制本能非常困难，不是简单就能做到的。在利己的欲望刚刚冒头的瞬间就察觉到，并为抑制它而有意识地做出努力。

必须学会控制本能心，这样会使理性活跃，提高我们对事物做出正确判断的能力。

将意识聚焦

所谓理性，是指人的心中用于逻辑思考和判断的那一部分。运用理性时，要将意识聚焦。正如为了点火，用透镜将太阳光线聚焦一样。将意识集中，叫作“有意注意”。与此相反，比如突然听到巨响，不禁大吃一惊，这种本能的反应叫作“无意注意”。

人通过对理性有意识的训练，可以像激光光束一样，随时将意识高度集中。可以在必要的一瞬间，启动理性，抓住问题的核心。

进一步说，如果人的心从本能及利己的欲望中解脱出来，获得自由，那么就能从中发挥出一种比理性还要敏锐得多的强大力量，即所谓“灵感”。它迅速、正确而且明确，它的出现，不需经过繁琐的分析和复杂的逻辑思考。历史上的伟人，往往因为获得“灵感”而成就其伟业。但是这种“灵感”究竟为什么会产生，它是怎么来的，好像大家都不太明白。

为解决某个问题天天苦思冥想，伤透脑筋，某个瞬间突然心中一亮，计上心来，宛如神的启示。

勇敢面对逆境，不断追问“作为人，何谓正确？”始终坚持人间正道，同时一味埋头苦干，那么自助天助，上帝就会给你“灵感”，问题得以顺利解决。

能力要用将来进行时

在设立长期目标的时候，我有意将自己的能力设定在超出现有水平的某一点上。

换句话说，我选择自己现有能力达不到的目标，选定未来的某一时点达成这个目标。

为了届时实现目标，领导人必须有计划地提高自己及其团队的能力，提高到设定的目标所需要的水平之上。

谁都可以根据自己现在的能力，判断当前自己能做什么，不能做什么。但是，光这样不足以向新事物发起挑战。只有付出努力，使现时点不可能达成的目标，在将来某个时点一定实现，才能创造出惊人的成果。

想要向有价值的事物发起挑战的人，必须能够看到自己能力的现有水平及其未来水平两个方面。

塑造自己的人格

中小企业的经营者中间，有很多精力充沛、富有才干的人物。他们具有敏锐的商业目光，善于捕捉机遇，才能非凡。但是即使在这个人群里，能够获得很大成功的，也只是极少数，这是为什么？

多数企业家依靠的是自己个人的才智和能力，当然这些对于企业家而言是必要的，但仅凭这些并不足以防止事业走向失败。许多中小企业的经营者，只凭个人能力打拼，为实现自己的目标，不断向风险事业挑战。但是，因为过分迷信自己个人的才能，往往最多取得一时的成功，事业难以长久。

如果缺乏坚强的心智，我们很容易成为自己才能的奴隶。

但是有一种人，他不做自己才能的奴隶，而能把这种才能发挥到极致，因为他具有高尚的人格。高尚的、受尊敬的人格能够控制才能，使自己的才能在正确的方向上得到充分的发挥。

与生俱来的完美人格几乎没有。开始阶段，可以依靠自己的才智、能力以及好胜心取得某种成功，但要让事业持续成功，就必须努力提高心性，塑造自己高尚的人格。

一问一答：关于能力

问：领导人是天生的，还是培养出来的？

稻盛答：我自己也经常思考这个问题，答案应是两者都有道理。同存在天才的运动员、音乐家、艺术家一样，也有天生就具备领导能力和领袖气质的人。但是，我相信，多数人即使不具备这种先天的才能，只要培训得当，照样可以成为称职的领导人，哪怕达不到杰出的程度。

而比能力更为重要的是领导人自身的努力以及作为领导人必须具有的基本哲学。一个团体最可悲的是：领导人有才能，但对事物持否定态度，把团队引向错误的方向，结果使之破灭。

第三章 努　力

具备燃烧般的满腔热情

持续不懈拼命努力

那么今天看来不可能的事情

明天就能实现

工作的意义

工作的意义是什么?

我们为了自己的生存，为了扶养家人，需要通过工作获取报酬。但是，如果出生在一个富人的家庭，不用为生活而奔波，那又会怎样呢?当然日子可以很悠闲，可以过得轻松愉快。但总是虚度光阴，就会感觉到很无聊，难以忍受。所以工作不仅是为了拿工资，工作包含着某种比赚钱更重要的意义。

工作给人以精神的满足。事实上我们通过工作，可以寻找到人生新的意义和体验。

但是另一方面，日复一日的工作不免劳心费神。长期重复做不为人知的事情，或者必须向非常困难的事情发起挑战，这种情况下，如果只是为了某种义务不得已才去工作，就只会觉得十分辛苦，辛苦的工作不得不持续多年，真让人难受、痛苦。

那么，怎样才能把辛苦的工作变为有价值、有意义的事情呢？首先，自己对自己说："工作就是乐趣。"有意识地努力重复这样的话，时间长了，就会从内心真的产生对工作的喜爱。

有没有值得终生投入的工作可做，是人生幸与不幸的关键，但首先要找到工作的意义。

突破壁障

成功人士和非成功人士之差，不过薄纸一张。没有获得成功的人未必缺乏责任感，事实上其中不少人有诚意，有热情，工作努力，在这些方面他们与成功人士并没有什么区别。

尽管如此，有的人成功了，有的人却失败了，人们或许感叹世道不公。实际上，两者之间虽然只有一层薄纸之差，但是它竟是一层不易突破的壁障。

这个“差”是什么？是坚韧性和忍耐力。失败人士在遭遇壁障的时候，一开始就认定壁障无法突破。换句话讲，他们努力是努力了，但努力到一定程度，就停止了。这种人碰到障碍，总会寻找适当的借口，停止努力。

要实现看起来似乎不可能实现的事情，必须持续坚韧不拔地努力，必须打破自己头脑里的既成概念，“只能做到这一步了”。如果持有这种顽固的观念，那么就不可能突破壁障。但如果能够超越壁障，就能达至成功。

壁障最终必能突破，这种自负和自信，可以形成坚韧的性格。而这种坚韧性又会把我们引向更大的成功。

热情开创新时代

在无法完成任务时，人总会列举许多条理由，结论是“因此不可能”。这也没有，那也缺乏，不可能的理由总能找得出来。如果大家都是这种精神状态，决不可能开拓新的事业。

首先，就是应该在什么都没有的前提之下，着手新事业。无论碰到哪种困难，一定要完成新项目，必须先有这种强烈的愿望。然后，为了达成目标，怎样调集必需的人才、资金、设备、技术等等，要做出详细而明确的计划。在实施新项目的过程中，难免碰到预料之外的问题和困难，要克服它们，获得成功，必须有充分的自信、强烈的愿望，踏踏实实，一步一步去逼近目标。只要这样，我认为一定会梦想成真。

有人问你成功概率是多少，你或许答不出，但这并不重要。要创造新事物，重要的不是统计数字，而是创造者的热情和意志。

日本的明治维新以及任何革命，都是靠革命者的热情才开创出新时代的。

迷恋工作

最好现在就辞职不干。或许你正在这么想。

说实话，我自己就这么想过。每当工作筋疲力尽时，我就想起了学生时代，为了应付考试，不得不连续数天用功到深夜，感觉难受时，真想逃离那苦海。就是现在，我也时而陷入同样的心境。

但是，真辞职了，生活就变得五彩斑斓了吗？那也不见得。要是我辞职的话，不出三天，便急于回去工作，否则更受不了。

常有人说，我对自己太苛刻，生活过得太辛苦。但不管多么艰难，我却觉得自己的人生很有意义。尽管沉重的工作负荷，常常使我心力交瘁，但是我仍然从心底热爱我的工作。

有的人从事着难以想象的、艰苦卓绝的工作，但是，如果他们能从内心感到工作的快乐，就会不觉其苦。

只有喜欢自己的工作，并在工作中不断寻得乐趣的人，才能获得事业的成功。

要想成功，要想取得卓越的成就，先得热爱乃至迷恋自己的工作。

精于一业

把精力倾注在一个领域，钻深钻透，就能明白人生的真理，理解大千世界，森罗万象。

比如一个优秀的工匠，经多年潜心研究，掌握了卓越的技术。这样的工匠，就是谈论人生，也会有精辟的见解。一个僧人，经反复修道，磨炼出高尚的人格。这样的僧人，即使涉及与修身养性的教义无关的领域，也能说出深刻的道理。其他例如绘画、著书等，任何精通一艺者，都会有同样的涵养，达到相同的境界。

可惜刚从学校毕业的年轻人不懂得这个道理。他们轻视自己从事的具体工作，缺乏耐心，怀疑手头的工作是否真有意义，他们常要求上司分配更重要的工作。其实，这样的人无论让他干什么，都不会满意，总是不肯尽心。

知识广而浅，似乎什么都懂，但什么都只懂一点皮毛，等于一无所知，一无所长。相反，精通一技、一艺、一业，就能融会贯通，举一反三，乃至领会宇宙的真理。

精于一业就可理解一切，究明一个事物，就可理解一切事物。在一切事物的深处，都隐藏着普遍的真理。

自辟蹊径

原以为倒霉，结果却是幸运，人生常有这样的事。

我初次就职的单位是京都的一家小企业。当时经营状况很糟糕，工资迟发，奖金没有，看不到前途，看不到希望。我曾认真考虑过辞职。但哥哥批评并阻止了我。一是新工作不好找，二是家里经济困难，需要我的薪水补贴家用。在这种情形下，除了继续留在公司外，我别无选择。唯一可以选择的是改变我自己，就是改变自己对于工作的态度，从工作中寻得乐趣，从困境中摆脱出来。

我静下心来，埋首于研究开发不久，竟有了可喜的成果。因为蹩脚的小公司缺乏优秀的人才，我就显得相当突出。上司表彰我，我工作就更来劲，上司就更称赞我。这种良性循环使我的人生出现了转机。

假如一开始我就很幸运，既有满意的工作，又有舒服的环境，那么，恐怕就没有今日的我，没有我今日这样的成就了。

对自己的处境不满，一味地怨天尤人，就会不知不觉将心灵封闭，看不到甚至放弃了人生中潜藏的良机。

健全的精神寓于健全的肉体

“健全的精神寓于健全的肉体”（A sound mind in a sound body）这句古老的格言，可以追溯到罗马时代，至今它仍有深刻的意义。

如果有志于当领导，就必须注意保持自己的身体健康。因为一个团体的负责人，不应当让自己的健康状况影响到对事物的判断。健康欠佳时，会无意识中回避需要体力和耐力的决策，而流于轻率判断，给许多人带来麻烦和不幸。

老实说，当健康状况影响判断能力时，领导人就应该主动辞职，可以转而当参谋，用自己多年的知识和经验，为团体再做贡献。

领导人必须做出努力，始终保持一个与健全的精神相对应的健全的身体。因为领导人必须有能力做出公平、无私且对全局有利的正确判断。

人生须时时反省

人生要反省。就是说我们每天所做的各种判断，是否符合做人的正确准则，要不断认真反省，借以诫勉自己，在尽可能冷静而谦虚的反省中度过人生。当意识到自私、任性或怯懦时，就应自我告诫："不可只顾自己""鼓起勇气，坚持正义"。不断重复这样的反省，就会在犯错误之前自我惊醒，从而避免失策、失态。

比如，常有这样的人，他们年轻时磨砺心志，艰苦奋斗，事业有成。但不知何时起，陶醉于成功，变得骄横起来，令人叹息。

人往往一不小心，就会溺于名声，不知不觉中就会变质。不管你自以为达到了多高的境界，如果你不能始终谦虚，不能时时反省，不能坚持学习，你就必然退步，降回故我。这虽然遗憾，却是我们人的本质。

天天忙忙碌碌，终日沉溺于事务，我们常常因此忘记了反省，这样的生活无法提高我们的人格。我们只有严格地自我反省，才会促使我们变得高尚。

人生中缺乏反省，成功即成失败之母。

读书开阔视野

阅读不仅是一种乐趣，更是一种自我提升。养成读好书的习惯，从中吸收营养，充实自己。

即便深夜下班回家，我仍不忘读书，总是读放在床头的中国古典书籍以及有关哲学的书籍。

我甚至在浴池里也读书。周末有闲暇时，整日读书是我的嗜好。

你或许认为繁忙就无暇读书。但我想，不管在哪里，都可以在有限的时间里哪怕抽出几分钟，翻开一本好书，读一篇好文章而有所感悟。

当然人生中最重要的是，通过实践经验来学习，但读书会使我们的经验变得更富有意义。同时，书本还会教给我们无法亲身经历的事情，让我们可以在头脑里进行模拟演练。

自身的直接经验，加上读书得来的间接经验，构成了人生成功的精神基础。

将能量灌注给部下

领导者单枪匹马做不成的事，必须有部下协助。但即使领导者一腔热情，而下属缺乏同样的热情，事情仍然不能成功。

天赐良机，万事俱备，而且项目拥有完善的资源。但如果无法鼓起团队的士气，仍将一事无成。

相反，物质资源虽不充分，但领导者满怀热情，向部下诉说事业的意义和目标，使他们理解并接受，上下同心，事情就可能成功。

将自身的能量注入给部下，使团队的能量水准达到甚至超过自己。

如果部属只是同意配合你完成项目，那么该项目成功的概率大约是 30%；如果部属对你保证说“我们一定尽力干”，那么该项目成功的概率大约是 50%；但是，如果将你的能量给部下注入，他们把该项目当成自己的事业，那么该项目成功的概率就可达 90%。

要了解部下对该项目持有多大的热情，并将你的能量注入给部下，直到他们激情燃烧，这是领导人的首要任务。

每天勤奋不止

我不做长期的商业计划。今天的工作能否顺利进展，明天将会发生什么，我们尚且无法确知，我们又怎么能预见到十年以后的景况呢？

我对自己说，要认真过好每一天。今天努力了，就能看清楚明天。天天努力，积累起来，五年、十年，成果就相当可观。

与其去担忧无法预知的将来，不如踏踏实实过好今天这一天。我认为这个信念很重要。

今天全力以赴了，作为结果，可以相当正确地看到明天。天天努力，就可能对将来如何变化，进行有意义的推测。

天天努力不懈，就可以开辟未来。要正确地预知将来，只有靠今天的努力，因为将来位于今天的延长线上。

一问一答：关于努力

问：听说，你经手的所有的事业项目，从没有失败过。请问你有什么秘诀？

稻盛答：非常简单。项目成功之前，我决不放弃。

失败首先是一种心态。当然，在每一个项目开始之前，我必定认真审视它的价值，只有在内心感到确有把握时，才着手参与。而一旦投入，不管遭遇什么障碍，决不轻言放弃。一条路走不通，就找别的路，直到走向成功。

问：你怎么对待工作效率差的员工？

稻盛答：人的能力各不相同。有的员工很能干，有的员工则不然。但是，只要员工积极向上、勤奋工作，不管他对企业贡献有多大，都应该一样重视和关爱他。找出适合他发挥长处的领域，把他安排到合适的岗位上，以便他做出更大的贡献。这也是领导人需要考虑的。

问：对于情绪消极、对事物抱否定态度的员工，你怎么对待？

稻盛答：对于这样的员工要积极与他交流沟通。要让他懂得积极向上的态度对个人、对公司有多么重要。有时也会向当事人提出建议，希望他寻找更能发挥他特长、发挥他积极性的企业或职业。

问：你是否认为制订长期计划没有必要？

稻盛答：通过迄今为止我的人生经验，我相信，预测未来最好的方法是认认真真过好今天这一天。因为我认为明天就在今天努力的延长线上。如果你要让明天这一天也能如你所愿，那么你今天就要认真努力，踏实做好今天该做的一切。除此之外别无他法。每个经营者都会有各自的经营风格。而不制订长期的经营计划，就是我的经营方式。自己瞄准什么目标？描绘怎样的愿景？这是很重要的。但如果有一个长期计划，有时自己似乎成了一个预言家，计划的实现好像得靠运气才行。

第四章　思维方式

即使是很单纯的问题

一旦有私欲夹杂其中

立即就会复杂化

摆脱私欲束缚的思维方式

将引导你走向真正的成功

决不丧失希望

我相信：我们心中所想的事物，会由现象呈现出来。但是我刚踏入社会时，丝毫没有这种想法。当时我到处碰壁，做的每件事都不顺利。

但即使在那种处境之下，我也没有失去希望，没有失去开朗的心境。就靠这一点，成就了今日的我。

当时我住二楼一间地板翘裂的破旧宿舍，面积不足十平方米，榻榻米也破旧不堪，连席草都露了出来。我搬来煤炉和锅，自己做饭。

公司的研究工作不顺利，人际关系也不和谐。宿舍背后有一条小河，河边有一排樱花树。黄昏时分，我常常独坐河畔，吟唱童谣《故乡》。我的心伤痕累累，隐隐作痛。我不知道怎样缓解这种痛苦，借着放声高歌，打起精神。直唱到有足够勇气投入明天的工作，我才回到宿舍。

我们决不可能完全摆脱痛苦和烦恼。但是，即使处于最低潮，我们仍然可以努力，不失去对明日的希望。

追求人间正道

我年轻时就学会了自问:“作为人，何谓正确?”

面对社会的丑恶现象，我会自言自语:“不能这样，这不是人应该做的，理想的做法不该如此。”最后，我领悟到，一颗追求人间正道的心，也就是追求理想的心。

升学考试落榜，就职考试失败，我曾十分沮丧，但并不服输。我想一定要更努力，要考一个好学校，进一个好公司。在奉命开发新型陶瓷、从事单调的研究工作时，我鼓励自己尽最大努力，使陶瓷成为最优质的材料。

即使处于近乎绝望的环境，我仍然不失希望，为了实现自己的理想，拼命地、不知疲倦地工作。

在漫长的人生旅途中，会经历多种失败、困难和挫折，但是，这一切同时也是难得的磨炼心志的机会，促使你发奋图强，通过诚实的努力，去实现自己的梦想。

上苍绝对不会无视真诚的努力和追求人间正道的决心。

避开“捷径”

大学毕业后不久，我去京都一家小型陶瓷公司工作。我与公司经营层发生争执，又受到工会的攻击，曾陷入孤立无援的境地。当时，我想象自己带领一个团队攀登险峻的高山。半途中，或许有人扭伤了脚，有人产生了畏怯情绪，有人失足跌入悬崖。

上司常常劝我选择妥协。换句话说，就是规劝我选择较为平坦的登山道路，慢慢登上山顶。

对上司的忠告，我作了认真的思考。但结果我仍选择走崎岖的路，作垂直攀登。

我知道自己是一个脆弱的人。如果选择好走的路，慢慢地爬，在到达山顶之前，恐怕我已经放弃了。队友们由衷信任我，如果我选择安逸之道，他们会很轻松。但走这样的路，不能获得真正的幸福。

坚信自己选择的是正道。不管途中多么危险，不管天气多么恶劣，我下定决心，直线登上顶峰。

为了全员一起攀上山顶，我对别人对自己一样的严厉苛刻。

走安逸之道，大抵都到不了目的地。

天堂地狱一纸隔

有一天一个小和尚向长老请教：地狱在哪里？长老答道："有一只直径一米的大锅，锅里热气腾腾，煮着美味的面条。但是吃面条的筷子也有一米长。

我们想象一下，会产生什么情景。大家都饿了，拿着这长筷子争吃面条。但筷子太长，可以夹住面条，却送不进口。可是每个人都想第一个吃，都发疯似的争抢。于是就乱了套，开始吵架，结果面条撒了一地，谁也没能吃到。这就是地狱。"

小和尚接着又问：那么天堂又在哪里呢？长老答道："天堂里也是这锅、这筷子、这面条，但是那儿的人用筷子夹起面条，朝锅对面的人说：'这面条可好吃啦，请先尝尝。’对面的人很开心地吃了，然后说：‘谢谢您，让我报答您吧。’于是夹起面条送到对方的嘴边。于是所有的人都高兴地享用了美味的面条。就是说，一颗利他的心，让众人得享至福。”

只考虑自己，还是先为对方着想，这决定了我们的人生是在天堂还是在地狱。

信赖关系从自己内心构筑

缺乏互相信赖的人际关系，就不会有成功。企业经营尤其如此。

那么，怎样才能构筑互相信赖的人际关系呢？我首先想到的是，寻找值得信赖的合作伙伴。就是说从自身之外去寻求信赖关系。

然而我错了。我后来意识到，如果自己不能成为一个值得别人信赖的人，与别人之间的信赖关系就无法建立。如果别人觉得你的内心不可靠，即使原来的朋友也会离你而去。与别人的信赖关系，不过是自己内心的一种外在反映。

我曾多次遭人背叛，即便如此，我仍然认为应该诚心诚意地信赖别人，并且不断自问自答：我自己的心是否值得别人信赖？如果不是，我得马上改正自己的态度和行为。

即使自己蒙受损失，也要相信别人。只有这样，才能产生互相信赖的人际关系。

信赖应从自己内心而不是从外面求得。

如实观察

心纯见真。清澈纯粹的心灵可以看见真相。但是充满利己的心目中，只看到复杂的事物现象。比如一事当前，先问自己可获得多少好处。这种自私的欲望，会使最单纯的问题变得复杂起来。我们总想让别人看好自己，这也是一种利己的动机。它往往模糊问题的焦点，延误问题的解决。

我们应该努力保持一颗纯洁的心，才能按照事物本来的面目来观察和认识事物。在被利己欲望所支配的人眼里，再简单的问题看起来也非常复杂。

即使对自己不利，仍然应如实观察和反映真实情况。如果自己有错，就要坦率承认。常有这样的事：

当开始用纯粹的目光审视事物时，突然会出现非常简单的方法，使问题马上得以解决。但是如果不摆脱私欲的束缚，一味追求自身的快乐或虚荣，你的双眼就会被蒙蔽，事物的真相在你面前变得模糊一片。

但是，仅仅看清真理还不够。为了坚持真理，勇气必不可少。

如实观察事实，即使自我牺牲也要贯彻真理。有这种觉悟，就没有解决不了的问题。

注意及至细节

人真正的能力，在于能否对事情做出正确的判断。

要作正确判断，首先要明白自己面临的形势。为此需要有触及事物本质的敏锐的观察力，甚至不忽略细节。

这种敏锐的观察力源于精神的集中。而这集中力不是一朝一夕所能养成的。

精神的集中是一种习惯。如果养成习惯，平时连有关细节也予以注意，那么在任何需要的时刻，立即能将精神高度集中。缺乏习惯，要做到集中注意力于一点，就极为困难。

你或许太忙碌，无暇养成这种习惯，无暇顾及细节。但繁忙却正是养成这习惯的最佳时刻。

即使你不关心的事物，你也不妨有意地、努力地予以注意。这就叫“有意图的注意”或叫“有意注意”。

养成“有意注意”的习惯，就使你具备一种能力，一旦需要，就能很快做出正确判断。人只有具有敏锐的洞察力，较强的注意力，才能随时做出正确决断。这样的人才称得上是真正有能耐的人物。

调动潜意识

人的潜意识中有一种力量，能对复杂事情做出正确迅速的判断。

记得初学开车时，既要集中注意力操作方向盘，又要注意路况，注意对面来的车等等。一面驾车，一面留心各种情况，不免又紧张又疲劳。

但等你积累了足够的经验后，潜意识就跑出来替代了显意识。潜意识能够即时对状况做出判断，从过去的经验中调出类似的应对模式，手脚动作应对自如，就是说潜意识帮你开车了。

日本象棋名将升田幸三说过：“对局高潮时，制胜的一招忽然在心中闪过。我在头脑中考虑了几十种走法，慎重探讨了各种可能性，但结果证明，还是最初直觉的那一招最为正确。”名将在运用显意识作各种分析、考量之前，潜意识早已给了他正确的答案。

印象深刻的事件以及再三重复的经验，会进入潜意识，并储存起来。

而这种潜意识会替代显意识，以惊人的速度做出正确的判断。

对各种事情进行认真的重复演练，就能培养潜意识快速做出正确抉择。

通逻辑，合伦理

英文中说“符合道理”（It makes sense），日文就叫“筋が通っている”。

日语汉字“筋”的意思就是“线”，就是基准。这是人在判断事物时，使用一系列论据或者哲学时，使用的一个词汇，甚至可以说它是人的精神指标。

我们每个人心中都有各自判断事物的基准。判断基准应该能够答复“作为人，何谓正确？”这一命题。就是说要符合道德、伦理，符合原理原则。

判断事情是否“符合道理”，不仅指逻辑上有无矛盾，而且要与做人的准则相对照，确认有无违背。不是随意在头脑里作轻率的判断，而是回到做人最基本的原则，经深思熟虑之后，再进行判断。

缺少“筋”，就是缺少哲学的人，难于达成有价值的事业。因为他的判断基准中缺乏正确的原理原则。而拥有哲学的人，可以做成许多事业。因为哲学就是引导人们走向正确和成功的指南针。

内心的哲学指导我们做出正确的决策。

依据原理原则

无论何时何地，都要根据原理原则做出判断，采取行动。

做判断时，不可照搬老套的智慧和通常的习惯，因为新情况使这些智慧和习惯失灵，照搬就会让你被动。如能坚持依照原理原则做出判断，那么不管在何种情况下，都不会困惑，不会迷失方向。所谓依照原理原则，就是以社会的道德、伦理作为基准，把做人的正确准则正确地贯彻始终。依据人间正道进行决断，可超越时空，任何情况下都能被人接受。一个持有正确判断基准的人，即便闯入未知的世界也不会迷惑，不致惊慌失措。

真正的革新者之所以能够开拓新世界，开创新天地，不是因为他们经验丰富，也不是因为他们知识丰富，而是因为他们理解人之所以崇高的本质所在，因为他们依据基本的原理原则做出判断。

一问一答：关于思维方式

问：美国员工与日本员工比，工作热情和态度有不同吗？

稻盛答：自从到美国开展事业以来，我一贯秉承京瓷的经营思想，实行与日本京瓷完全相同的管理方式。而员工的反映也基本相同。

美国员工确有个人主义色彩，但这未必是坏事。美国人希望自己的做法与他人不同，因此产生新的创意，对公司有利，公司非常欢迎。此外，美国员工并不介意创意出于哪个国家，而只欣赏创意本身。

问：与日本的干部比，你认为美国的管理干部比较以自我为中心吗？

稻盛答：有时会遇到个人主义、自私任性的人。但这种人不光美国有，日本也有，与国籍无关。只要敞开心扉，认真沟通，即使信奉利己主义的人，也能理解并接受我们的想法。并没因为京瓷的经营体系产生于日本而遭到误解和抵制，凡是好的想法他们都能采纳。

问：在运用潜意识解决困难问题的时候，有没有特别的技巧？

稻盛答：我不是这个领域的专家。我只是通过自己的切身经验，懂得了潜意识的力量。当把自己的热情集中到每一事物时，借助潜意识，几乎从前遗忘的事情都会苏醒过来。所以，要让潜意识发挥作用，除了针对需要解决的问题，满怀热情、全身心投入之外，并没有特别的方法或技巧。这是我所知道的唯一的方法，对我而言非常有效。

第二部分

经营怎样才能成功

第五章　热　情

强烈的愿望

燃烧般的激情

这才是成功的关键

成功激情

激情（PASSION）

用这个英文词汇的七个字母打头的七个关键字，是企业经营中最重要的事情。

★ PROFIT（利润）

将销售额做到最大，把费用压缩到最小。不是追逐利润，利润在后面跟随而来。

★ AMBITION（愿望）

保持渗透到潜意识的强烈而持久的愿望。

★ SINCERITY（诚实）

设身处地，站在对方立场上采取行动。

★ STRENGTH（真正的强大）

所谓强大是指勇气，决不能有卑怯的举止。

★ INNOVATION（钻研创新）

今天好于昨天，明天好于今天。发挥自身的创造性，不断改革改善。

★ OPTIMISM（积极思考）

保持乐观向上的态度，抱着梦想和希望，以坦诚之心处世。

★ NEVER GIVE UP（决不放弃）

付出不亚于任何人的努力——一步一步、扎扎实实，坚持不懈地做好具体的工作。

在本书第二部分，我来分析一下这七条在企业经营中，与成功所需要的激情（PASSION）有什么关联。

企业如戏

我把公司看作一个剧团，这个剧团上演的戏剧名叫“企业经营”。

上演一出戏剧，需要多种角色。比如，当红的男演员和漂亮的女演员扮演主角。围绕主角，有跑龙套的，还有反面角色。在舞台背后，有管大道具的人，管小道具的人，还有管音乐的、管灯光的，等等。需要大家齐心协力，才能演出一场好戏。

但是，这不过是每个人担当的角色不同。人在本质上都是平等的。在一出戏剧中，名演员也仅仅是扮演了相应的角色而已。

当然，让戏中主角穿上管小道具人的衣服，这个戏就无法演下去。演员必须穿上与他们扮演的角色身份相称的衣裳。

公司也一样，有人要担任社长这个角色。社长穿着寒碜，有碍公司体面；还要给社长配上适合身份的车子；社长还需进行必要的交际；另外社长责任重大，还需给予必要的待遇。

但是，所有这些都不过是角色的需要。如果发生错觉，以为自己是社长就可以自行其是、为所欲为，那就大错特错了，那是将角色错当成特权了。

公司的形象，可以从每一位员工的工作热情中反映出来。尽管角色不同，但要求每个人都要具备专业精神，每位演员都要把自己的角色演绎得淋漓尽致。这是理所当然的。

成功始于热情

对一个人作评价时，我会看这个人的能力。但是这个人的工作热情，也会纳入我的考虑范围，而且我认为能力和热情同等重要。

只要具备燃烧般炽烈的热情，几乎什么事情都可以做成。

即使自己能力不够，但只要具备热情，就可以把有能力的人聚集到自己的周围。即使没有资金、没有设备，但只要你满腔热情诉说自己的梦想，就会有人出来响应。

热情是成功的源泉。无论如何非成功不可的热情和意志越是强烈，成功的概率就越高。

所谓炽烈的热情，是指一种精神状态，就是睡也想、醒也想，就是 24 小时思考问题。当然，连续 24 小时思考同一个问题是不可能的。但是专注、执着、毫不动摇的意志十分重要。这样的话，你的成功愿望就会渗透到潜意识。就是说，不管睡着还是醒着，你都能够持续不断地把你的意识集中到你要解决的问题上去。

只要充满成功的激情，你就能走向成功。

从纯粹心灵中迸发的热情

强烈的愿望和炽烈的热情能够带来成功。但是，如果这种愿望和热情出于私利私欲，成功就难于长期持续。

对于“作为人，何谓正确？”这一判断基准反应迟钝，发生动摇，一味向着利己方向前行的话，开始时曾给我们带来成功的愿望和热情，很快就会成为失败的原因。

作为理想来说，“完全放弃私利私欲，全心全意为世人为社会做贡献”，就是说，彻底利他，愿望极其纯粹，这当然最好。

然而，人为了自己的生存，为了自我保护，私利私欲不可缺少。要完全摒弃私利私欲首先是不可能的。

但在另一方面，我们又必须做出努力，主动去抑制利己的欲望，不让它膨胀，不让它作祟。

至少，工作的目的应该从“为了自己”转变为“为了团队”。目的从利己转向利他，就能够增加愿望纯粹的程度。

抱着纯粹的愿望，摆脱了痛苦和烦恼，解决问题的良计妙策就会突然呈现。这样的经验我曾经有过多次。这是上天赐予的启示，我不能不这么想。

成功的关键在哪里呢？渗透到潜意识的愿望的纯粹程度，才是成功的关键。

一问一答：关于热情

问：“热情”为什么那么重要？

稻盛答：因为具备了热情，潜意识就会发挥出令人难以置信的力量。在通常的意识状态下（即显意识），普通人无法与天才竞争。然而，几乎所有的心理学家都有一种共识：潜意识的能量要比显意识大上几十倍。像京瓷这种创业不久的小企业，事实上不可能招聘到有杰出才能的员工。但是，即使是很平凡的人，只要把自己具备的潜意识的力量调动出来，就能创造奇迹。我认为这一点已经被京瓷的经验所证明。

问：“热情”怎样才能发挥出来？

稻盛答：比如，你现在失业了，想方设法要养家糊口，于是你决定摆摊卖热狗。当然，做生意就要赚钱，要获取“利润（Profit）”。

但是，这里有两种心态。一种是：因为找不到更好的工作，没有别的办法，只好摆摊卖热狗，好像斗输了的狗，情绪颓丧。抱这种态度就不会成功。另一种态度正好相反，为了激励自己、激励家人，需要一个很大的梦想，就是具备“愿望（Ambition）”。怀抱强烈的愿望，立志成为一个独立的企业家，奋勇打拼。向家人和朋友诉说自己的理想：自己为什么会对摆摊卖热狗如此热衷，如此全力以赴。要向他们解释这项工作的价值。

不要害怕有梦想，这里需要的是大胆。沉醉于梦想决不是罪恶。重要的是：你的梦想要对与你共同奋斗的人有利，再进一步说，也要有益于社会。最重要的是，你必须“诚实（Sincerity）”。不仅对别人诚实，对自己更需要诚实。为了做到用客观的眼光观察事物，不脱离现实，你就非诚实不可。

当你在头脑里描绘自己的梦想，开始在脑海中进行模拟演练的时候，“现实性”就非常重要。首先要设定具体的目的和目标，接着要在头脑里思考达到目标的过程、程序。比如，为了卖热狗，你会考虑买一辆车，动手把它改装成流动的卖热狗的专车。

为了烹制热狗，你要安装一个放罐装煤气的框架，还要放一个饮料机，供应清凉饮料。这个过程你都要事先想好。另外，热狗最可能畅销的场所，在你的头脑里先让你的热狗专车驶向那里。大学宿舍附近如何，有许多作业人员的建筑工地又怎样，是否专供来吃午饭的客人，等等。要做各种各样的假定。然后，你要亲自到各个现场，观察调查车流量、人流量。

同时，还要考虑可能发生的问题和困难：雨天怎么办，车子发生故障怎么办，热狗的味道不合客人口味怎么办，货源突然中断又怎么办，周末或节日怎么办，出现了新的竞争对手又怎么办等。这些问题事先都要考虑到，并想出解决办法。这样，等到你干起来以后，碰到实际问题时，你就有正面面对的勇气，就会变得“真正的强大（Strength）”。

为了规避风险，拓展销售，要不断“钻研创新

（Innovation）”，要朝思暮想。动脑筋想问题，不需要花成本。事前想好了，到时就不会烦恼。

这样日思夜想，可能的话，花上一两个月来仔细推敲你的计划。这么做的话，一天热狗能卖出多少个，销售额达到多少，费用要花多少，种种情况在你头脑里就会变得清晰起来。把下雨天、节假日销售的下降也估计进去，这样就能算出利润。

做到这一步，生意虽然还没做，却好像实际上已经做了一样。宛如看电影一般，生意展开的景况在你眼前一一显现。这个过程似乎具有生命，你能够“看见”，不但逼真，而且以彩色呈现。

这时候计划成功的信心会在你心中油然而生。就是说，你对这个计划进行了“积极思考（Optimism）”。这是一个标志，说明你已经做好了开业的准备。做到这个程度，可以说成功已经在握。

一旦生意开始，当然要有坚持到底的决心和坚忍不拔的意志，这就是中途“决不放弃（Never Give Up）”，直至成功。

话说起来简单。但把热狗变换成你们打算生产的产品的话，原理是一样的。

问：把您的话综合起来，就是用“PASSION（激情）”这个词汇的七个大写字母构成的经营七原则，您是怎么想到这七条的呢？

稻盛答：随着公司的成长发展，我需要提拔我的部下，他们是企业的骨干，他们分别要对几千名员工负责。必须让他们胜任新的重要的岗位，并获得成功。否则，员工们就会陷入不幸。为此，我把自己的经营思想总结归纳成为几项重要的原则。他们随时都可以依据这些原则采取行动。

我觉得重要的项目有七条，用打头的英文字母组合起来，碰巧就成了 PASSION（激情）这个词。这七个重要的项目就是：Profit（利润）、Ambition（愿望）、Sincerity（诚实）、Strength（真正的强大）、Innovation（钻研创新）、Optimism（积极思考）和 Never Give Up（决不放弃）。

第六章　利　润

所谓优秀的经营者

就是能给顾客带来利润的人

利润
利润不靠追逐而来
利润是努力的自然结果

★“销售最大化，经费最小化”，这是所有企业获得成功的基本条件。

★“利润”不是靠追逐而来的。把销售拓展到最大，把经费压缩到最小。只要持续这种努力，利润自然跟随而来。就是说，利润是坚持不懈的努力所产生的结果。

★这话听起来似乎很简单，要做到却并不容易。企业是经营者人格的反映。企业依据经营者的意志发展。要实现销售最大化、经费最小化，需要经营者不同寻常的坚强意志力以及非凡的想象力。就是说，经营者必须具备强烈而清晰的“愿望”。

实现员工物质和精神两方面的幸福

在京瓷创办一年以后，我才意识到，我干了一件事先根本没有想到的、莽撞的事情。本来，我是想把自己的技术在世间发扬光大才创建企业的。但是，录用不久的年轻员工们却提出了要求，要求我保证他们从现在到将来的收入。

这个时候，我才不得不认真思考“企业究竟是什么”。在这之前，不要说保证他人长期的生计，就连我自己家人的生活也难以保障。但是，员工们却把自己及其家人的未来托付给了公司。

既然员工们把自己的一生托付给了公司，我就不能辜负他们的期待。与他们连续三天三夜深入肺腑的交谈之后，我改变了京瓷的经营方针。我把保证员工的生活放到了前面，把让我的技术问世放到了后面。

这样就确定了京瓷的经营理念：“在追求全体员工物质和精神两方面幸福的同时，为人类社会的进步发展做出贡献。”

公司首先要为实现员工们物质和精神两方面的幸福做出努力。在此基础之上，大家齐心协力，为人类社会的进步发展做出贡献。我认为除此之外，我们的企业再无别的目的。

光明正大地追求利润

经营者必须为企业的发展和员工的幸福去追求利润。

追求利润绝对不是什么可耻的事情。在自由竞争的原理正常发挥作用的市场经济中，通过光明正大的商业活动获取的利润是正当的利润。

尽可能将生产过程合理化，以降低成本，向客人提供高附加值的产品，制定让客人乐意接受的最高价格。这种由经营者和员工们通过自己额头流汗获得的利润，值得我们自豪。

一方面要追求利润，但又决不能成为利润的奴隶。有的人为追求利润而不择手段，我们决不能受他们的诱惑。我们必须用正当的方法获得利润。为提供客户所期望的高品质的产品而拼命努力，不遗余力，光明正大地获取利润。

不能采用卑劣的手段，以图一攫千金。这类事连做梦也不能想。在石油危机时期，有的企业以为遇到了千载难逢的发财机会，囤积商品，哄抬物价。但是，这些丧失良知、攫取肮脏利润的经营者，早已销声匿迹，没人在位了。

在自由竞争的市场中获取的正当利润是一种报酬，是对社会发展做出贡献的人的一份嘉奖。

不忘事业的本质

随着社会的发展，古往今来的真理已经被淹没在了复杂的现象之中。

在经营企业的时候，决不能忘记事业的本质是什么。

在第一次石油危机之前，在所谓《日本列岛改造论》的影响之下，日本掀起了炒作土地的热潮。许多企业竞相购入土地，期待地价飞涨。

与京瓷有业务往来的银行工作人员也来劝说：“你们京瓷把利润存在我们银行，我们很感谢。但是我们还是推荐你们投资不动产，保证你们能够大赚一笔。”

但是，我郑重地回绝了他们。我说，我们的事业不依靠投资房地产，我们制造产品，通过提高产品的附加价值来取得利润。今后也打算只采用这一种方式。

当石油危机到来时，大多数企业的现金因为投资土地而被套牢，动弹不得。而京瓷因为手头资金宽裕，可以趁此良机，投资设备和工厂。因为京瓷的资金平衡表非常出色，获得社会高度的评价，人们夸我有“先见之明”。当然，世上没有人能够预见未来。但是，当别人都被表面的现象所迷惑、热衷投机时，我却相信事业经营的本质，坚持按照原理原则办事。如此而已。

让客户满意

虽然是老生常谈，但经营企业要获取利润，除了“让客户满意”之外，别无他法。但是，有的企业却误解了“利润”本来的含义，只顾自己的利益而忽视客户的感受。

但是，这种态度是根本行不通的。企业经营的基本原则就是让客户满意。让公司外部的客户满意是理所当然的，同时还必须让企业内部的客户满意，就是要让内部要求我们提供产品或服务的部门满意。

为了在交货期内及时出货而拼命努力，就是为了让客户在需要的时候把产品交到他们手上，满足客户的期待；进一步，千方百计、千辛万苦，做出超越客户要求的更高品质的产品；更进一步，为了让客户获取更多的利润，我们还必须不断地开发新产品。企业经营中的一切行为，都应围绕让客户满意这一条基本原则。

这个社会上，有太多的人只考虑自己的利益。但是，事业的良机绝对不会光顾以自我为中心的人。只是为了让店主赚钱，为了让店主高兴，而来店购物的客人并不存在。

能够把企业经营得有声有色的人，都是能够给客户带来更多利益的人。能够用这种态度经营企业的人，也能够给自己的企业带来更多的商业机会，带来更丰厚的利润。

定价即经营

我常常对员工说："定价就是经营。"

一般来说，为了在市场中保持竞争力，大家都觉得产品的价格应该多少要比市场价格低一些。但是，削减单件的利润来跑量，还是设定一个与市场价格相近的价格，即使减量也要确保单件的利润。就是说，薄利多销还是厚利少销，定价的幅度有无限的选择空间。

在这中间，必须找出一个价格，使得销售数量与单件平均利润的乘积最大。但是，因为影响销售的因素很多很多，所以很难找到简单的答案。在某种价格、某种赚头下，要预测究竟能销掉多少，极其困难。因为定价会给销售的结果带来重大影响，所以我认为，定价最终要由经营者亲自决定。

定价的最终目标是找出一个让客户乐意购买的最高价格。定价过高，客户不买；定价过低，客户也许高兴了，但因为赚头太少，无论卖掉多少，仍然得不到维持企业正常运转所需要的利润。

定价取决于经营者的思维方式。经营者的性格激进，就会定一个偏高的价格；经营者的性格谨慎，就会定一个保守的价格。

定价左右着企业的业绩，同时，它又反映了经营者的能力，反映了经营者的经营哲学。

价格由市场决定

在产品定价时，我不是从成本计算的概念出发，换句话说，我不采用下面这个公式：

价格 = 成本 + 间接费用 + 利润

价格由自由市场的机制决定。就是说，追根究底是客户决定价格。

因为销售价格由市场决定，所以我们必须把制造成本压缩到最小。制造成本与销售价格之差就是企业的毛利，因此，让成本最小化的努力，就意味着让利润最大化。

为了把制造成本压缩到最小，制造成本中原材料费、人工费、间接费等所占的理想的比率是多少，这一类成见和常识必须统统抛弃。要对所有部门的费用进行详细的调查，要节省一切不必要的开支。

满足市场需求的质量和价格的产品，用最低的成本制造出来，我们应该找出这样的制造方法。这就是俗话所说的“省一分钱就是赚一分钱”。

在充分满足客户所有需求的同时，又让企业利润最大化，这就是企业经营的本质所在。

每天都做损益计算表

企业经营想要获得成功，经营者就不能像隐居的高僧一样，高高在上，俯瞰员工，不时给出几句富于哲理的“开示”。企业经营是每天反复进行的实实在在的具体活动的累积。

无论是大企业还是小卖店，经营企业就是每一天数字的积累。不去分析每天的收入和支出，就无法把事业经营好。

每个月的利润是每一天工作结果的累积。所以，只看月度的损益计算表（即利润表）是不够的。每天都做损益计算表，应该抱着这样的意识去经营企业。

经营企业却不注意每天的数字，就好比整天不看仪表盘开飞机一样，连自己正在何处飞行，要在哪里着陆，都搞不清楚了。

这种情形对于企业经营而言也是一样。如果不能对每一天的企业活动进行细致的管理，就不可能实现企业的目标。

损益计算表可以描绘出经营者每一天的行动。

脱离私心看利润

对企业经营者来说，拼命工作好不容易取得的利润，其中大约一半必须纳税。所以交税犹如在身上割肉一样让人痛苦难受。即使利润中的相当部分不是现金，还处于应收款或者非现金的状态，税款却必须以现金支付。征税无慈悲可言。

这种心情只有经营者才能体会。因为是公司的钱，对于员工而言，或许无关痛痒。但对经营者来说，就好比从自己的银行账户中把钱夺走。因此，为了逃避税金，有的经营者采用了一些不适当的手段。

逃税当然不好。公司的利润不属于经营者个人。同时，我们缴纳的税金被用来促进社会的发展。所以不能从利己的动机出发，逃避征税，或隐匿利润。

不要跌入“憎恶税金”的陷阱。为此，应该客观地、实事求是地看待利润。比如把利润看作成绩表，它表示了我们对社会贡献的大小。如果抱这种观点，我们就会变得客观理性，就不会再有那种强烈的占有欲。另外，不要把税前利润看作利润。把税金看作贡献社会所必需的经费。只把税后的净利看作我们拼命努力所获得的真正的利润。

所谓税金，应该看作我们支持社会发展所必须付出的经费。因为我们在这个社会中从事企业经营活动。

一点一点积聚利润

在一些赚钱的企业里，有的经营者会刻意地降低利润。为了减少需缴税的税前利润，他们会故意在接待费、交际费等方面大肆挥霍，或借出差名义外出旅行等等，增加不必要的支出，借以减少应缴纳的税金。

利润的一半得交税，这是事实。但剩余的一半可以留在公司。企业经营的本质就在于珍视税后利润这一块。

几乎所有的日本企业的自有资本的比率都非常低。据说原因在于日本的税收制度。但我认为，与其说问题在税制，不如说问题在于经营者的哲学。

珍惜税后利润是积蓄内部留存、提高自有资本比例、强化企业财务体制的唯一的方法。

不管要上交多高的税款，我们依然必须不断努力去提高企业的收益。

我把税金列为必要的事业经费，在公司内部一点一点积累税后利润。

现在京瓷已保有丰厚的内部留存。企业因此具备了稳定性和灵活性，这不但给员工们带来了安心工作的机会，而且正因为具备这个强项，在必要时就可以向新事业发起挑战。

制定上下可以共有的目标

在制订企业年度计划的时候，我要求自己，也要求员工，不要设定一个容易达到的低目标。相反，我要求各个部门基于自己强烈的愿望，制定一个颇具野心的目标。

我号召大家："说出你的豪言壮语！并实现它！"

即使最后目标没有实现，我也不会只看结果论好坏。当然这并不是说目标达不成也无所谓。如果每年制定的目标都落空，员工们就会丧失达至终点目标的自信和能力。所以实现目标非常重要。

为了达成目标，目标必须为全员所共有。如果想要实现目标的只有经营者一个人，那么这个目标就不可能达成。

公司应该把组织划小，要让每个最小的组织单位都具有各自的目标。同时，为了让年度计划更明确，更能唤起员工的干劲，还必须制订月度计划。另外，为了让每一位员工都发挥出各自的作用，就要激励大家拼命工作。这样的话，每个组织都能达成各自的目标，进而就能实现整个公司的目标。

年度计划必须由全体员工分担，必须是每位员工都强烈地想要实现的目标。

在土俵正中相扑

我经常讲要“在土俵正中相扑”这句话。（在赛台的中央发力。——译者注）意思是说，不要等到被逼至赛场的边缘才发力，而是一开始，在具备余裕的时候就要全力以赴。

我想大家都有在考试前通宵熬夜的经验。这时候，因为时间仓促，复习不完，往往只能抱着近于绝望的心情来到考场。本来考试日期都是事前安排好的，想要获得好成绩，理应早做准备才是，但一般人却总爱临时抱佛脚。

在相扑比赛中，有的运动员要到双脚被推到相扑台的边缘，快被摔出圈外时，才开始真正发力。我觉得不可思议，为什么他们不在赛台中央时就发挥实力呢？

企业经营也一样。在土俵正中时，因为有充分的时间和余地，我们往往放松自己，要等被逼到土俵边缘时，才慌忙采取行动。

我们应该设想已经没有时间、没有余地让我们轻松逍遥，在被逼到尽头之前就使出浑身解数。

在有充分余裕的阶段，就要抱着危机感，采取必要的行动，这一点很重要。这是事业稳定发展的秘诀。

把公司放在个人之前

我们经营者往往被迫要在公司利益和自己的个人利益之间做出选择。但是，无论何时，我们都要把公司的利益放在最优先的位置上。经营者必须不断提升自己的价值观。

举例来说，当公司股票上市的时候，有两种做法：一种是公司把现有股东所持有的股票公开；另一种是公司发行新股，在股票市场上公开。两种方法都可以采用。

前一种方法，因为市场股票溢价，会给经营者和其他股东带来巨大的利益。而采用后一种方法的话，股票的溢价全部归公司所有。

京瓷在上市时，我毫不犹豫地采用了后一种方法，即决定发行新股。员工们是我的伙伴，他们把自己和家族的未来全部托付给了公司。如果股票的溢价都归公司，就能充实公司的资本金，稳固公司的财务基础，从而能让员工们更安心地在公司工作。当时我就是这么想的。

个人利益优先，还是集团利益优先？当被迫做出选择时，一如既往，义无反顾，把集团的利益放在前面，这是领导人必须承担的基本的道德义务。

经济景气时作储备

当经济不景气的波浪袭来的时候，企业经营者们往往要求政府拿出解决的办法。要求政府增加建设项目的支出，减税或下调银行利率。这时，经营者们会各说各的理由。

实际上，经济总会有景气的时候和萧条的时候。无论景气或不景气，都不可能一种状态一直持续下去。比如在日本，多年来已经经历过各种各样的经济萧条。虽然萧条的程度各不相同，但是每次萧条都成了下一次发展增长的平台。

因为过去日本经济曾经持续上升，结果是当时几乎所有的日本经营者都坚信日本经济将永久性地持续发展成长。

一切市场经济最基本的事实是：景气总是循环的。有强劲的时期，也有衰弱的时期，这是世间常态。在景气良好的时期，要为不景气做好准备，未雨绸缪，这是企业经营的基本原则。

遗憾的是，今天有很多经营者忘记了这条原则。在经济萧条时变得有气无力，把恢复景气的希望全都寄托在政府身上，或者只会合掌向神灵祈求。

所谓“经营”，就是“进行管理”。意思就是，在经济景气时做好储备，以免在经济萧条时求助于他人。

泡沫经济的教训

景气和萧条不断循环，这在企业经营中是理所当然的事情。实际上，跌入萧条时的痛苦经验可以给予经营者宝贵的教训。例如，它告诉经营者，在经济景气的时候，经营管理应该谨慎，要为应对可能出现的萧条，储备足够的内部留存，这样才能使企业长期生存下去。

然而，在日本“泡沫经济”最盛行的时候，似乎谁都可以依靠土地买卖和股票炒作发财致富。几亿日元的贷款似乎不足挂齿，根本无须担心。大笔的钱财像泡沫一样，不知从何处突然冒了出来。但在当时，面对这种异常的局面，却没有一个人敲响警钟，没有一个人出面制止。不仅如此，当利润滚滚而来时，大家只是看着，却默不作声。但是，当第一波损失袭来时，众人便一齐陷入了惊慌。

这种心理引发了股票市场的所谓“损失补偿”的丑闻。当时，企业只要把大量资金委托证券公司炒作，就可以获取暴利。但当股票下跌，开始出现亏损时，有的企业居然厚颜无耻地要求证券公司予以赔偿，而且竟然如愿以偿。

股票市场总有上升的时候和下降的时候。这是理所当然的事情。但是企业的财务负责人却想逆向而行，企图打破这一法则，这好比要抗衡地球引力一样。假定他们的试验真能成功的话，那么整个股票市场就完全崩溃了。

一问一答：关于利润

问：企业经营的成功秘诀是什么？

稻盛答：经营企业用一句话来讲，就是增加销售，减少经费。就这么简单，这一点大家首先要理解，没有任何复杂难懂的东西。特别在经济萧条时，将销售拓展到最大，把费用压缩到最小，从而让利润最大化。就是依据这一条单纯的原则经营企业，这是很重要的。

问：关于“在土俵正中相扑”，请具体地举例说明。

稻盛答：所谓“在土俵正中相扑”，举例来说，就是要有充分的储备。想要抓住商业机会，必须行动迅速。为此，必须储存利润，以便有余力及时进行挑战。

我在对抗 NTT 创办第二电电（现在的 KDDI）时，初期的投资至少就要 1000 亿日元。日本主要的大企业，哪一家都不愿意投入如此庞大的资金。但当时京瓷已经拥有 1500 亿日元的银行存款。当我把创建第二电电的构想向京瓷的董事们做了说明以后，他们表示："即使这 1000 亿日元损失殆尽，我们还有 500 亿日元存款，维持京瓷的正常运行绰绰有余，完全没有问题。"

这话给了我极大的鼓舞，让我下决心创建第二电电。如果当时京瓷没有相应的储备，要参与如此巨大的项目，是非常困难的。所谓"在土俵正中相扑"，就是这个意思。

问：价格是否在任何时候都必须由领导人亲自决定？

稻盛答：当事业已经步入轨道时，定价可以委托部下做。换句话说，定价的方针应由经营者决定。当规则制定好以后，实际的定价可以让部下去做。

问：定价错误，拼命工作也无法挽回吗？

稻盛答：折扣商店开张，大批客人蜂拥而至。这种情景，我想大家都耳闻目睹。但是，某一天，突然传来了那家商店倒闭的消息。这就是错误的定价方针造成失败的案例。如果定价方针错了，那么不管你多么努力，事业都不可能成功。

问：总是应该设定低于市场行情的价格，这种观点对吗？

稻盛答：如果产品的性能特别优良，就应该设定一个与之相应的较高价格。如果在质量和性能方面缺乏竞争力，那么价格不降低，对顾客而言，就没有购买的价值。正确的定价，不是损人利己。不能为了自己的利益损害他人，也不能欺骗顾客。而是要与市场需求取得一致，而且在充分满足客户要求的同时，生产者也能获得最高的收益。

问：京瓷独特的阿米巴体系是如何产生的？

稻盛答：当京瓷在建设第二家工厂时，我曾有过担忧。当时，离京瓷创业还不久，我们凭着一股子热情拼命奋斗，企业快速成长发展。但是当时我有一种恐惧，就怕不知从何时起，我们会丧失开拓者的热情，坠落为世间常见的官僚型企业。于是我就想在公司内部培育企业家。

为此，我把公司划分成一个个独立核算的小集体，被称为“阿米巴”。每个阿米巴就像小型的风险企业一样，以阿米巴长为中心开展经营活动。在阿米巴运行中所需要的资材一般都由各阿米巴从公司外部或公司内部别的阿米巴处购入，然后将它的产品或服务提供给别的阿米巴或外部客户，这样就能获得利润。

各阿米巴的成员与阿米巴长分担工作任务，阿米巴的业绩按每位阿米巴成员每小时平均创造的附加价值，即“单位时间核算”这一指标进行评价。

几个小阿米巴合成一个大阿米巴。这个大阿米巴再与别的大阿米巴又合成一个更大的阿米巴。可以说，整个京瓷集团就是由全世界数千个小阿米巴组合而成的一个巨大的阿米巴。

问：在阿米巴体系中，各阿米巴会不会产生只顾自己阿米巴利益的、利己主义的倾向呢？

稻盛答：经营者不会只看最小的利润中心即各个小阿米巴的损益计算表。比如在京瓷集团中，有以部门或公司为单位的损益计算表，还有把所有部门和公司汇总起来的世界规模的损益计算表。

例如，集团内有从事不同事业的公司，公司下面的各个部门都制作损益计算表，其中载有各个阿米巴的“单位时间附加值”，它是由各阿米巴创造的总附加值除以总劳动时间得出的。同时公司又要汇总各阿米巴的实绩，制作包含公司整体的“单位时间核算表”在内的损益计算表。然后再制作世界各地的报告书，最后形成京瓷集团整体的报告书。

在这种情况下，如果某个阿米巴因为自身的利益而损害了其他阿米巴的利益，就会立即给这个阿米巴所属的整个组织带来不良影响。如果出现这种情况，上一级阿米巴的负责人会马上采取对策来解决问题。

问：在阿米巴经营中，京瓷的“单位时间核算”评价系统是否必不可缺呢？

稻盛答：未必如此。为了保留收入和经费的记录，在阿米巴层级上使用标准的损益计算表就可以了。事实上，“单位时间核算”与损益计算表具有同样的功能。但是，在各阿米巴的规模不同时，使用损益计算表来公正地比较两个阿米巴的业绩是很困难的。但如果使用“单位时间附加值”这个指标，那么与阿米巴所在地区和阿米巴人数无关，每人每小时创造 100 美元附加值的阿米巴的业绩，远远超过每人每小时只创造 10 美元附加值的阿米巴，这种差别一看就能明白。

问：在美国，将组织细分常会增加间接费用，在美国使用京瓷的“单位时间核算制度”，会不会代价太高？

稻盛答：不仅在美国，就是在日本国内，几乎所有的管理人员都有这种顾虑或成见。要记录全部阿米巴的所有的收入和经费，这本身就要花去不少的经费，一笔一笔作过细的记录太麻烦了，只要记录合计的数字就足够了。这就是他们的意见。

当然，如果采用“单位时间核算制度”要花费过多的间接费用，那就脱离了这个制度本来的目的。

但是，即使只是为了算出一般的所谓合计数字，实际上也需要汇总什么产品在何处制造等数据。为此，还是需要每个人都记录并提出自己每天完成的工作。在京瓷就用这些数据来计算“单位时间附加值”，并在每个月，有时甚至每周都做出报告书。

实际上，采用这样的“单位时间核算制度”并不需要花费过多的间接费。

问：如果某个阿米巴业绩不佳，怎么办？

稻盛答：根据情况不同，对应的办法也不同。

如果这个阿米巴的弱点是技术不足，那么可以帮助他们提高技术；如果是阿米巴长能力不强，那么就培训补课；如果不适应当该阿米巴的领导人，可以考虑调岗；评价阿米巴，主要是对照各阿米巴自己设定的目标和实绩之间的差距。阿米巴长既然具备运行自己事业的权限，也必须负起实现计划的责任。

问：如果目标设定得太高，员工是否会失去干劲？

稻盛答：我想重复美国教育家克拉克博士（William Smith Clark）一百年前，在援建札幌农学院（现在的北海道大学）时对学生们讲的话："年轻人，你们一定要怀抱大志！"

例如，为了做成某件事，本来有100%的能力，但为了确保目标顺利实现，目标只设定在90%的能力的水平上。因为这种保守思想作怪，每次在设定新目标时，都会不断下降。相反，如果目标设定在100%以上，并通过顽强努力实现了目标，接着就会有信心设定更有挑战性的目标，并设法去实现。在这样的努力过程中，人就会迅速成长。

当然，如果设定一个根本无法达成的目标，员工的干劲确实会下降。所以一个大目标要分成几个可能达成的阶段，一个阶段的目标实现了，就有信心完成下一个阶段更高的目标。

逐步设定越来越高的目标并且逐一达成的人，设立过高目标而无法达成的人，从不设定有挑战性目标的人，过了十年、二十年或三十年后，在这三种人之间会出现巨大的差距。

第七章 愿 望

想要成功

就必须抱有

渗透到潜意识的

强烈的愿望

愿望——怀抱强烈而持久的愿望

★如果怀抱的愿望强烈而且持久，它就会变成潜意识的一部分。

★企业家首先必须持有明确的目标，究竟要怎样去经营自己的公司，首先必须明确。光停留在梦想的阶段是不够的。必须强化自己的愿望，明确目标，让这种愿望和目标成为潜意识的一部分。真正的愿望必须是具体的，必须是崇高的，必须充满着美好的理想。

★即使持有了这种强烈的愿望，但环境的变化仍然可能影响到企业经营。即便如此，也不能把变化当借口。无论困难是可以预测的还是不可预测的，为了克服它们，必须具备坚强的意志和决心。

自我燃烧

物质可以划分成可燃性、不燃性和自燃性三种形态。

可燃性的东西只要点火就会燃烧；不燃性的东西，即使丢进火里也不燃烧；自燃性的东西，它自己就会燃烧。

这样的分类对我们人类也同样适用。为了做成一件有价值的事情，必须是自燃性的人，必须是自己主动去推进事业的人。因为自发的热情、激情是成就事业的不可或缺的基本要素。

不燃性的人即使有才能，但因为思想虚无，缺乏感情，不会感动，有能力也不能成事。可燃性的人在有热情的周围人的影响下，也会焕发热情，靠近火源就会燃烧。

开创事业需要自燃性的人，就是靠自己的能量就能燃烧的人。这种人不仅自己能燃烧，而且能够把自己的能量传递给周围的人。

必须用自己热情的火焰去点燃周围的人群。

成为旋涡中心

一个人单独能做成的事情总是有限的。在工作中，必须同上司、部下和同事合作。

但是，你自己做事必须积极主动，周围的人才愿意协助你。这就是“要在旋涡的中心工作”。

不肯用心的话，别人成了旋涡的中心，自己只在旋涡外侧打转，或许就这样终其一生。

在公司里，像卷起旋涡的急流一样，到处都有工作的旋涡。如果你只在旋涡的周边漫然漂流，只会被别人的旋涡吸引进去。

想要品尝工作的妙味和体验真正的愉悦，就必须

成为旋涡的中心。积极出主意，主动想办法，掀起工作的旋涡，把周围的人裹挟进来。

思维方式是不是积极主动，能不能形成自己的旋涡，这不但决定了工作的结果，而且决定了人生的结果。

保持梦想

我自称为“爱做梦的人”。

我有一种癖好：爱做一些似乎不合逻辑的梦。漫无边际的梦想，一个接一个在我头脑里出现。我就在这种梦想中拓展事业。

这样的梦想自然不可能很快变为现实。但我却会在头脑中努力描绘这种梦想，不停地让想象力展翅飞舞，在脑海里日复一日地做模拟演练。经历这样的过程，梦想就会变成愿望。

即使下班离开工作以后，这种愿望也常在我心中时隐时现。

漫步街头时，某个与我的愿望相关的事物，会突然跃入我的眼帘，而且印象深刻。还有，在混杂拥挤的派对上，突然从房子的对面，有一个人吸引了我的注意力，他就是我为了实现梦想、日夜想见的那个人。

如果我缺乏强烈的愿望，这样的人和事或许会像烟云一般，一掠而过。

绝佳的机会往往隐藏在极为普通的情景之中。只有具备强烈目标意识的人，才能看出这种机会。

在缺乏目标的飘忽空虚的眼睛中，永远看不见人生中美妙的良机。

坚信“能行”

在上世纪六十年代中期，我有幸聆听日本最受尊敬的经营者之一——已故的松下幸之助的演讲，题目是“水库式经营”。

松下向听众说的是：要像水库经常保存一定的水量一样，我们经营企业也要保有储备。

在答疑的时候，听众中有一人提出了问题。这个人在极力称赞松下思想对于安全经营企业的重要性之后，又说自己缺乏充分的资金，没钱造水库。因此，他请教松下：“该如何积蓄储备，就是怎样才能建起水库？”

松下说，这个问题的答案自己也不知道。但是松下补充了一句：“经营需要储备，首先你必须这么去想！”听众认为松下答非所问，所以哄堂大笑。但是，松下这句话却给了我强烈的冲击。

我从松下的话中学到的是：要想做成某件事，首先必须坚信事情一定能成功。“虽然这事非常理想，但不现实，不可能做成。”如果自己对自己这么说，那么，什么事情也做不成了。

不相信会成功的事情，人们不可能努力去干。

描绘强烈的愿望，从内心相信它一定能实现，就能突破困境，成就事业。

动机善否？私心无吗？

在开始一项新事业的时候，我认为有一个问题最重要。这就是需要自问："动机善否？私心无吗？"换句话说，就是要确认，开创这一事业的目的，不是出于利己的动机，出发点必须是基于"善"。

日语中的"善"这个词，意思是：无论在谁的眼里看来，普遍都是好的。如果只考虑自己的利益和方便，或者只顾自己的面子，只在乎自己在别人眼里的形象，那么，就做不成有价值的事情。起事的动机，必须自己内心能认可，必须让别人也能接受。

事业一旦开始，我会不断追问自己，事业进行的过程是否也是"善"的？因为，如果我们采取了不正当的行动，到时一定会为此付出代价。在事业进行的过程中，也不可以脱离人间正道。

换言之，有必要问清楚自己“私心无吗”？以利己的动机创立的企业，无法获得员工的信赖，员工们不可能为这样的企业去拼命奋斗。

只要动机是善的，实行的过程也是善的，就不必担心事情的结果。

具备高层次的事业目的

把什么作为事业的目的？这一点非常重要。我相信，事业的目的必须体现出做人的崇高理想。

那么，为什么需要高层次的事业目的呢？运行事业，必须具备热情，必须将能量维持在很高的水准上。而金钱欲和名誉欲，伴随着罪恶感，消耗着巨大的能量。这样的罪恶感，会大大降低做好当前工作所必需的能量。

人是脆弱的生物，需要有动机才能提升自己的干劲和热情。“做这件事，对自己是最好的，同时对他人也是最好的。”必须让部下有这样的想法，必须让他们具备这样的目的。

具有一个值得向人夸耀的、光明正大的目的，人就不会有恐惧感，不会有罪恶感，就可以提高自己能量的水准。为什么事业的目的应该符合最高的道德水准？这便是理由之一。

事业的目的，真实地反映了经营者的哲学。几乎在所有的场合下，只要付出拼命的努力，就可以取得一时的成功。但是，如果经营者的思想不对，心灵扭曲，最终将会导致事业的失败。

只要净化自己的心灵，提升自己的人生观，就可以避免犯同样的错误，就不会失去已经到手的成功。

才能不可私有化

在思考领导人的必要条件时，有人或许会想，自己有能力，有指挥才能，又具备优秀的人格，所以，自己有资格充当领导人。

但是，这时候，我们的认识还必须再加深一步。

上苍为什么要将这种领导才能授予自己，其中必有理由。并不是上苍非得把这种才能赐予自己不可，赋予别人也未尝不可。

我认为，具备特殊才能的人是按照一定的比例降生的。有人具备艺术家的才华；有人具备运动员的天分；还有人被赋予了带领集团走向幸福的领袖气质和魅力。

如果自己有幸具备了这样的才能，就应该将这种才能用来为世界、为社会、为集团服务，而决不能只用于为自己谋利。

比如，与生俱来便具备领导才能的人，就必须履行作为领导人的义务，决不能因为被上苍赐予了才能而变得傲慢不逊。

人决不可将天赋的才能据为私有。而是应该更加谦虚，应该为集团、为社会用好自己的才能。

企业声望并非唾手可得

关于“理想的企业应该是怎样的”这个问题，有各种各样的议论。设定怎样的目标，这由企业的目的来决定。有必要问清楚一个问题：“你究竟想把自己的公司做成一个怎样的公司？”

比如，如果你以行业第一为目标，那么你就必须做好准备，准备走过到达目的地的漫长路程。

在影响企业经营的要素中，有眼睛看得见的部分和眼睛看不见的部分。看得见的部分，比如资本金、研究开发能力、设备等可以具体计算的东西。所谓看不见的东西，比如经营者和员工们共同营造的企业文化、哲学和理念等等。

为了实现更高的目标，所有这些要素都必须充分地发挥作用。如果你的目标是成为行业内全世界第一的企业，那么，你就必须具备与此目标相适应的一流企业哲学。这样的话，对经营者，对员工都要提出更多更高的要求。他们必须依据高水准的企业哲学做好每一天的工作。

“要把自己的公司做成世界一流的企业”“要在卓越的企业里工作”，如果你这么想，那么，为达此目的，你就必须积极主动地付出相应的努力。

企业的声望不可能唾手可得。

一问一答：关于愿望

问：所谓“愿望”，具体地说究竟是什么？

稻盛答：首先，经营者必须制定具体的经营目标。经营者必须具备强烈的愿望。自己和自己的公司究竟要达成一个什么样的目标，必须具体而生动地描述。究竟如何经营企业，在优秀的经营者的头脑里有一个鲜明的“印象”（image），而且他会始终强烈地持有这个“印象”。不仅在会议上或某些场合谈及自己的构想。真正的愿望，必须一天 24 小时不断思考、不断强化。

问：所谓动机要“善”，是什么意思？

稻盛答：日语中“善”这个词，有时是指“良好的行为”中的“良好”；有时是指人品的“高洁”；有时是指“深沉的慈悲之心”。“善”这个词最初是来自中国一个很抽象的概念。这同基督教教义中的“己所欲，施于人”意思相近。我就是在这个意义上使用“善”这个词的。首先是要给自己周围的人带来幸福，并从中找出快乐。

“善”的反面是“恶”。“恶”就是人从憎恨、敌意、恼怒、嫉妒等利己的动机出发采取的行动。

在开始一项新的事业的时候，我们有必要问自己一个问题：“创办这项事业，只是为了自己一个人的利益，还是要为他人、为地区、为社会带来利益？”要赚钱、要获利，这本身不是坏事。但是，为了自己获利而损害合作伙伴、供应商、客户的利益，那就不是“善”。如果无法确认这项事业究竟是不是“善”，至少应该确认它不会给别人带来损害。

问：领导力是不是与生俱来的才能？如果不是，能不能通过训练来培养领导人？

稻盛答：生来就具备领导才能的人应该有吧。但在绝大多数场合，人们都是接受了教育训练之后而成长为领导人的。我之所以开办干部培训班，给干部以指导，就是因为我相信，通过训练可以培养出很多领导人。

问：梦想和目标（vison）有什么区别？

稻盛答：我把梦想和目标两个词当一个意思使用。开始时，抱有做成某件事情的梦想或“理想”。在不断追逐这个梦想的过程中，这个梦想渐渐清晰起来，变得鲜明，甚至明白了其中的细节，而且它以“彩色”呈现在眼前。这就是所谓目标（vison）。达到这样一种心理状况的时候，我就知道，自己的目标能够实现。

问：能举例说明吗？

稻盛答：我曾经有过多次这样的经验。当年在研究新型精密陶瓷的时候，我曾经坠入迷茫，宛如身处伸手不见五指的浓雾之中。尽管如此，我仍然一如既往、不断思索，我坚信：“我希望合成的那种新型陶瓷应该能够做出来。”

“我想开发这种新型陶瓷，它必须具备这样那样的特性。只要把这种和那种材料混合，放进炉里用这种那种温度烧结，不可能不成功。”我从心底坚信这一点。

在做具体实验时，在将陶瓷材料混合烧制时，因为材料中含有杂质等原因，做出来的东西会与预想的东西出现差异。但是，经过认真研究，差错出在哪里？何处失控了？我就能弄明白。于是，下一次的目标就更为明确，就能够很好地控制实验的过程。

我的人生，就是反复实验、把梦想提炼成更为切实的计划的过程，就是不断追求和实现目标的过程。

这股让我持续前进的动力，就是热情。

问：这样的经验，在研究开发之外的领域也适用吗？

稻盛答：在企业经营中我也有同样的经验。用热情把自己燃烧起来。在这种状态下工作的时候，我学到了许多促使事业成功的方法。

接二连三的失败，很快会让人意气消沉。这时候，即使想要鼓起热情，也相当困难。如果不喜欢这项工作，失败了就不会重新开始。但是，如果不愿再次挑战，就无法进步。

另一种情况是：对某项工作，开始时并不喜欢，根本没有兴趣。但是没办法，不得不做。而做起来以后，产生了兴趣，于是热衷起来，全身心投入。因为感觉到了工作的乐趣，就会拼命努力，取得进步。作为结果，就能促使那项事业获得成功。

这同学习打网球是一回事。虽然你的网球技巧不好，但如果你喜欢的话，就会不断练习。不断练习，你的技巧就日益娴熟。到了某一天，说不定你就成了网球冠军。

要让自己坚信，自己喜欢现在正在做的工作。这样你的工作就会越做越好，而且，不久你就会产生“热情”。做到了这一点，实际上就等于保证了事业的成功。

第八章　诚　实

"你在，故我在"

这种思维才能

带来和谐与和平

诚实带来爱与和谐

★商业上的交易需要买卖双方。成功的交易需要双方都满意。而诚实才是建立双方均满意的人际关系的基础。

★要让合作伙伴满意。单方获利，他方受损，就不可能在商业上长期保持成功。成功的领导人一定具备诚实的品格，一定能通过对对方的关爱和体谅，带来和谐。

★为了获得商业上的成功，企业家必须具备比运动员更加强烈的好胜心。但是仅仅如此还不够，在企业家的心灵深处，还必须具备诚实、关爱和友善。

★体育教练为了在比赛中获胜，会鼓励每一位选手发挥出最大的力量。同时领导人还必须以正直和诚实的方法，引导团队获取胜利。与体育比赛不同的是：体育竞赛会出现胜者和败者，但商业上的成功应该是创造双方共赢的和谐局面。

以心唤心

我一贯致力于“以心为本”的经营。说得更具体一点，就是建立与员工心心相连的牢固的信赖关系，并不断地保持和加强这种关系。以此为焦点，推进企业经营。

要别人爱你，你先要爱别人。要构建以心为本的可靠的人际关系，经营者自己必须持有一颗纯粹的心灵，并将持有纯粹心灵的人聚集起来。

抱着这种观点，作为企业的最高领导人，我极力抑制利己的本能。为了让员工们由衷信任这个公司，我甚至不惜自我牺牲。以这种坚强的意志，我竭力抛弃自利私欲。

如人心般难测易变的东西，世上或许没有，但另一方面，由互相信赖结成的心灵的纽带那样强韧牢靠的东西，世上亦无，这也是事实。

纵观历史，凭借美好的利他之心成就伟业的事例不胜枚举。相反，因人心堕落导致集团崩溃、陷众人于不幸的事例也不在少数。

记住！心可唤心。

获得客户的尊敬

经商就是累积信任。事实上，随着信任我们的客户的增加，我们的商业规模也越来越大。

但是我认为，还有比信任更为重要的东西。当然，信用必不可缺。我们可以用价廉物美的产品，以准时周到的服务，来赢得客户的信任。

但是，如果卖家具备高尚的道德观和优秀的品格，就可以获得比信任更宝贵的东西，那就是博得客户的“尊敬”。

我认为，经商的极致在于得到客户的尊敬。如果被客户所尊敬，即使别的公司打出更为便宜的价格，客户依然会购买我们的产品。

具备高尚的道德，意味着比提供便宜的价格、良好的质量和及时的交期更为重要的东西。

这就是商人应该掌握的“哲学”。换言之，就是让人自然敬服的“器量”。如果不学习掌握这种资质，就不可能把事业做大。

获得客户的尊敬，就能长期保证事业的成功。

形成合力

因为我们都是作为可以自由生活的个人来到这个世上的，所以抱有各种各样的观点乃是理所当然。在一个组织里，每个人都不必在乎来自他人的指示或要求，完全按照自己的想法自由行动。这样，作为组织的整体，可以充分协调和谐。我原以为这是最佳的状态。

但是，根据我的经验，这只是一个不切实际的理想。在现实中，这种做法不能凝聚众人的力量，作为组织就会失败，这种事例很多。这是因为如果构成团队的个人的思维方式不一致的话，这个团队就无法发挥它的合力。

在促使每个人发挥其独创性、获得成长的同时，又要让每个人努力的方向与公司的目标保持一致。凡是成功的企业，都懂得这个道理。

所谓“形成合力”，就是具备共同的价值观。公司存在的意义，让公司朝什么方向发展，这种最基本的企业哲学让全体员工共同拥有。这样才能在充分发挥每个人才华的同时，把每个人的活动有机地联系起来，形成组织的合力。

如果是兴趣小组或社交团体，基本性的意见不同，也许意味着充满活力。然而，对于企业这种具备使命感的组织而言，全体员工拥有共同的价值观乃是企业生存发展的必要条件。

具备判断基准

领导人需要经常对事物做出判断。为了做出正确的判断，需要完全客观公正。例如，科学家在做重要测定时，不能靠“目测”，而要使用尺子、精密仪器或别的可做基准的测定手段。与此相同，为了能够不断做出正确的判断，领导人也需要类似“尺子”一样的判断基准。

然而，很多领导人却没有这样的“尺子”。因为自己没有判断用的尺度，所以只能凭借别人的判断，或者依靠世间的常识、先例、习惯等东西做出判断。

还有人持有“自我中心”的尺子。这时候，就只看事情的结果对自己有利还是有损，用这种主观的意图作为判断的基准。另有一种人尽管持有了正确的“尺子”，但因为不诚实，而总是对事情做随心所欲的解释。

人生是一个接一个的判断的积累。因此如果能够对事情不断做出正确的判断，就能度过一个美好的人生。

为了能够做出正确的判断，必须具备作为“尺子”的诚实的人生哲学。

这种哲学基于“作为人，何谓正确”，它应该包括公正、正义、亲切、关爱、协调、诚实等词汇所表达的含义。我们应该把这样的哲学作为每天判断的“尺子”。

做一个谦虚的领导人

领导人必须一如既往保持谦虚的态度。

一旦拥有了权力，处于支配地位以后，人的道德水准往往下降，变得傲慢不逊。在这种人的领导下，团队即使能获得一时的成功，但长时期的成长发展却是不可能的。不久，团队内部就会失去互相合作的氛围。

令人遗憾的是：今天整个社会都在一步步走向以自我为中心的陷阱。如果不加注意的话，这种社会倾向可能也会反映到我们的判断基准中来。一旦失去谦虚之心，就会产生有害无益的对立和冲突。

与此相反，日本自古以来就有这样的思想："因为对方存在，才有自己的存在。”从前的日本人，是把自己作为整体中的一个部分来认识的。我认为，这种思维方式直到今天，仍然是维系团队和谐、谋求协调合作的唯一正确的思维方式。必须认识到一切事物都有两面性，而且要看透这两个方面的依存关系。

“自己是命运与共的团队中的一员”，为了培育这种意识，领导人要懂得“正因为有部下的存在，才有自己作为领导人的存在”。这样来保持谦虚的态度。

只有始终保持谦虚的领导人，才能创造一个配合协调的团队，并将团队带向均衡的、长期发展的道路。

兼备事物的两极

经营者必须具备两极平衡的人格。

在企业经营中，经营者必须接二连三地做出重要决断。有时候，哪怕其他董事、律师、银行等方面全都反对，依然坚持信念，力排众议，坚决将计划付诸实施。但有时候，哪怕是一名普通员工的不同意见，也要侧耳倾听，从善如流，自己有错就要承认，并鼓足勇气，修改计划。

就是说，慎重和大胆必须兼备。这既不是单纯的慎重，也不是单纯的大胆，又不意味着“中庸”。因为领导人必须做出重要的判断，所以领导人必须具备超出人格圆满之上的资质。

美国作家弗朗西斯·斯科特·基·菲茨杰拉德说：“所谓一流的才智，就是心中同时拥有两种互相对立的思想，并且随时都能让两者正常地发挥各自的功能。”

有句话叫“挥泪斩马谡”。经营者一方面要充满人情味，但有时候又需要严厉，乃至冷酷无情。

一个人的人格中兼备性质相反的两个极端，根据场合不同，运用自如。这就可称为具备均衡人格的经营者。

懂得大爱

“你每天工作到这么晚，连节假日也不休息。没时间照顾家庭，你夫人和孩子不是很可怜吗？”

经常有人这么说我。但是，我却不认为自己牺牲了家庭。因为我不是以小爱来维护家庭或维护自己个人，而是以大爱让众多员工幸福。我把这看作自己的使命。

但是，我不把这样的大爱作为义务强加于人。因为这样的大爱要靠各人的自觉。如果把这种爱强加到缺乏这种意识的人的头上，就会陷人于两难：“对公司尽忠，就不能为家族尽孝。”

另外，如果两者不能兼顾，为了工作而放弃家庭，不仅对自己是不诚实，而且工作也做不好。

尽管如此，我还是期待出现这样的人：他们懂得大爱，乐于为他人而努力工作。因为我相信，只有意识到大爱的领导人才能给员工带来幸福。

大爱能给众人带来幸福。

以大善引领团队

领导人必须用爱与部下交往。但这绝非“溺爱”。领导人不是以小爱小善，而是必须以大爱大善来教育和导引部下。

例如，父母对孩子一味娇纵，结果孩子什么都不会做。待长大成人后，他的人生将会陷于不幸。相反，孩子从小受到父母严格的教育，学会了自我约束，他们的人生就会容易获得成功。前者是小善，后者是大善。

在职场里也有各种各样的上司，其中，有的上司待人亲切，常常倾听部下的意见，在工作中给部下充分的自由。但有的上司就非常严厉。

如果上司缺乏信念，只知道一味迎合部下，那么，从长远看，对组织肯定不利。姑息部下的上司，人缘或许不错，但这种客气的态度会宠坏部下。用长远的目光看，上司给部下明确的目标，以严格的规则锻炼部下，部下才能快速成长。

有言道："大善似无情，小善乃大恶。"以小善带领部下的领导人至多只能获得一时的名声和成功。

关爱赢得信赖

经营者应该以身作则，带头努力工作，做好员工的榜样。同时做人必须诚实。但更重要的是，不要忘了经常回头看看，确认员工们是否跟上自己的步伐。

想要员工们紧跟经营者，不仅需要员工们信任经营者，还需要员工们“尊敬”经营者。而建立这种尊敬的纽带唯一方法就是，在平日的工作中，重视与员工们心与心之间的沟通。

因工作太忙而忽视与员工们接触，经营者在无意间就会傲慢起来，甚至耍弄权力。因此利用一切机会，增加与员工们的接触是很重要的。不时与大家聚一聚，一起喝杯咖啡；走过他们身边时，说一句鼓励和慰劳的话。这些都很重要。

这些小小的、发自内心的挂念就能打动员工们的心。这种基于关爱的接触交流不断进行，持之以恒，就能在公司内部建立起和谐的人际关系，营造配合协调的组织氛围。

经营需要“信赏必罚”。但是，在这种严格要求的背后，经营者时时流露出对员工们的温暖关怀之心，才让员工们愿意紧紧追随。

用真情说话

雄辩的人往往玩弄辞藻。能说会道起初会给人好感。但如果你仔细听的话，就像棉花糖一样，内容空洞。

说话流畅似乎就有说服力，有人会产生这种错觉。但是，我却感觉不到其中有任何的魅力。与这种口气轻飘的人交流，我实在没有兴趣。

我希望年轻人不要去模仿油腔滑调式的花言巧语。我倒是希望听到发自灵魂深处的真实声音，哪怕说得有点结结巴巴。

无论如何，拼命也得让对方明白自己的想法，用自己的语言表达发自内心的期待，这时的诉求力很强，就能唤起对方的感动。其中或许欠缺一点流畅和雄辩，但是，没有哪种方法可以胜过这种真情流露。

如果真的想让对方理解自己，就要与对方分享自己的感情。不需要那些天花乱坠的说话技巧，只需倾注全身全灵，诚实说话就行。

诚实，让说话者和听话者心心相连。

超越代沟、获得共鸣

想要将自己的经营哲学传递给员工的时候，必须填平思想上的代沟。这种代沟来自年龄、生活环境和人生经验等方面的差异。

或许你希望员工的年龄与你相近，这样就可以有更多的共同语言；或许你希望员工的生活方式与你类似，有了类似的背景就可以更好地理解你的想法。然而，现实是：员工的年龄与我们的孩子差不多，整整隔了一代。同时，如果经营者的思维方式过多地反映了自己这一代的价值观和传统的话，年轻人就越难接受。

为了让年轻人理解接受，经营者的哲学必须基于

“作为人，何谓正确”这一普遍性的真理和原理原则。这样的话，就一定能够超越世代的隔阂，获得年轻人的共鸣。

年长的人往往感叹现在的年轻人好逸恶劳，做事不认真。但是，与年龄无关，任何人都有为实现自己的梦想努力奋斗的内在动力。

我相信，就是今天的年轻人，只要他们在工作中能够找到梦想，无论多么艰苦的挑战，他们也不会逃避。诉求如果基于这个共同点，我认为，年轻人也一定能理解经营者的思想哲学。

一问一答：关于诚实

问：为什么“诚实”是领导人必备的资质？

稻盛答：因为“诚实”催生“信赖”，“信赖”引发“尊敬”。而“尊敬”就使统率团队成为可能。我们总是认为“尊敬”这个概念只是用于对待老师、师傅等方面。所以，我提出获得“尊敬”对于企业家也很必要的说法，或许有人会感到奇怪。但是，为了率领部下，为了最大限度发挥出每个人的力量，为了让部下的能力都能提高，领导人必须获得部下的“尊敬”。但是如果不“诚实”，又缺乏关爱之心，就不可能产生相互之间的“信赖”和“尊敬”。

问：不仅要获得客户的“信赖”，而且还必须获得他们的“尊敬”，这是为什么？

稻盛答：很明显，“信赖”和“尊敬”密切相关。但是，这两者也有明显的区别。“信赖”是经商必不可缺的基本条件。而“尊敬”则更为崇高，获得“尊敬”是非常困难的事情。

如果能获得客户的尊敬，他们就会认真倾听我方的意见和提案，不仅对现在所需之物给我们下订单，而且有关客户正在计划中的新产品也会来同我们商量。比如，你是一家零部件供应商，如果你的客户从内心“尊敬”你，那么，客户在制作新产品时，可能在刚刚开始设计的阶段就会赶来与你商讨。在设计阶段就请你参与，就意味着“共同开发”客户的新产品，这就等于约定在新产品中也要用你提供的零部件。今后你也会被客户邀请为“共同开发”者。要做到这一步，客户不仅要认可你的专业能力、贡献度，更重要的是，客户要尊敬你作为经营者的人格。

问：关于“小善”，能否举例说明？

稻盛答：IBM 的创始人托马斯·华特生常常给公司员工讲一个关于老人和野鹅的故事。这位老人住在湖畔，每到冬季，野鹅南飞避寒时，都会在这个湖中稍作停留。某年，因寒流袭来，几只野鹅无处觅食，被困在湖中。老人看野鹅可怜，就每天去喂食。这样一来，来湖中停留的野鹅数量年年增加。而且在这期间，野鹅忘记了南移，整年依赖老人的善良来养活它们。

某年冬天，老人死了，再也没人来给野鹅喂食了，几百只野鹅也就饿死了。

这位老人的“善良”就是所谓“小善”的好例子。如果具备“大善”，就可以避免因为救助几只饥饿的野鹅而导致大批野鹅死亡的悲剧。

问：“大善”是不是要被迫牺牲自己的家庭？

稻盛答：可以肯定地说，没有我家人由衷的支持，就不可能有我今天的工作成就。我不希望你们把为了工作而牺牲家庭看作一种美德。但是，作为企业领导人不仅对企业的员工，而且对员工的家人也负有责任。

我的孩子经常抱怨，因为邻家孩子的父亲总是下午五点回家，同孩子们玩耍，而我每晚要工作到深夜。普通的工薪族可以准时回家，过正常的家庭生活。而经营者的家人却被迫要做出牺牲。

但经营者不仅是自己孩子的父亲，对众多员工及其家人而言，也是父亲。经营者必须对企业这个大家庭所有人的幸福生活负责。正因为如此，才不能陪自己的孩子们游玩。应该把这个道理给孩子们讲清楚。

孩子们在幼小的时候或许难以理解。但等长大后，一定能明白父亲这种了不起的爱，也就是“大善”。

第九章　真正的强大

所谓真正的强大

就是鼓起勇气做正确的事

真正的强大——拿出勇气，当好领导

★真正的强大与财富、名声、体力无关，它意味着鼓起勇气做正确的事。

★部下都很敏锐，如果自己的上司稍有卑怯的言行，他们马上就能感受得到。领导人如果不诚实，或采取卑怯的行动，就无法获得部下的信赖。

具备自我牺牲的勇气

一切领导人都必须具备乐于付出自我牺牲的勇气。

一个集团要做成某件有价值的事情，必须具备巨大的能量。而获得这种能量需要付出相应的代价。领导人应该率先付出这种代价。领导人表现出自我牺牲的勇气，就能获得部下的信任。

比如，要改善职场环境，那不是为了方便领导人，而是为了众多在那儿工作的人。领导人即使做出自我牺牲，也要当好员工的榜样。领导人缺乏这样的勇气，职场的改革改善就难以有效进行。

如果领导人改善职场环境只是为了方便自己，那么，部下同样也只会考虑自己的利益，没有人愿意跟随领导。领导人只有付出自我牺牲才能得到部下的信任和尊敬。这样的话，部下们才会主动重视职场的和谐和纪律，为团队做出贡献。

所谓自我牺牲，应该是一切领导人乐于付出的代价。

率先垂范

团队的领导人必须有勇气做出正确的判断。领导人不但应该用职场伦理和规则来教育部下，而且必须亲自做出榜样。

伪善的领导人容忍别人的不正当行为，引起团队内部的混乱，因而失去部下的信赖和尊敬，带来整个职场的道德堕落。

真正有能力的领导人具有贯彻正义的勇气，一旦有错，如实承认，马上向团体和部下道歉，并用积极态度处理，决不逃避责任，或把错误推给别人，或找借口文过饰非。

领导人不可忘记，自己的一举手一投足，部下都看在眼里。自己要求部下做的事，只有自己率先垂范，说到做到，部下才会模仿，才会遵循。

领导人的行为、态度、思维方式，不管是善还是恶，影响不只是限于自己个人，而会像野火般迅速扩散到整个团队。

团队是一面镜子，可以从中反映出领导人的人格。

言行一致

在现代国际化的经营环境中，经营者负有重大的责任，必须做出从全球化的角度看来也是正确的决策。但是，如果经营者缺乏主动付出自我牺牲的、健全的思维方式，他的决策都将是利己的、自我导向的。

举一个例子来说明。某位日本经营者知道日本存在贸易摩擦问题，知道如果不减少日本的贸易黑字，日本就将招致国际孤立，而且他也同意对进口产品开放日本的国内市场。然而，一旦涉及自己所在的行业，他又保持沉默，或者又反对起贸易自由化来了。

日语中有“真心话和场面话”的说法。意思是“嘴上讲的和心里想的不一样”。经营者决不能采取这种态度。

还有，如果经营者想要采取正确的行动，但却缺乏付出自我牺牲的勇气，那么，在面临虽然正确但却遭人反对或者虽然正确但对自己团队不利的决断时，他就会犹豫不决。但是，做决定时如果只考虑别人对自己的评价，那么最后，只能对自己的团队、对社会都带来负面的结果。

测定一切经营者人格素质的“尺度”，就是有没有做好乐于付出自我牺牲的准备。

开创历史的年轻人

在诸如美国的独立战争和日本的明治维新那些激动人心的时代里，涌现出一批充满自信和勇气、立志变革的年轻人。这些担当起改革重任的年轻人创造了历史。

但是，并不是仅仅因为年轻，履行这种重大任务的使命就会自动落到他们的头上。时代的领袖们要思考“开拓未来，需要怎样的年轻人”，这是一个困难的问题。

在职场里，我们期待有洞察力、积极提出意见、抱有远大理想、接二连三不断向上司提出建议的年轻人，这样的人会改变职场和企业的风气。

他们不仅勤奋用功，并且必须具备一颗纯粹的、坦诚的心，还要加上关爱他人和具有自我牺牲精神。

而最重要的素质是强韧、勇气和意志力。

为了达到崇高的目的，牺牲自己的生命也在所不惜。如果缺乏这样的精神力量，就不可能带动他人，就不可能实行伟大的变革。

做好准备才言挑战

“挑战”“革新”是人们经常使用的、扣人心弦的词汇。但是因为伴随着巨大的困难和风险，所以需要付出难以估量的辛劳、忍耐以及勇气。

所以我认为，如果不具备革新所需要的素质条件，就不应该轻言“挑战”。只有证明你具备正面面对困难的勇气，具备长时期忍受辛劳的体力和精神压力，才有资格讲挑战。

并不具备这些素质而随意使用“挑战”这样词汇的人，在日本被称为“蛮勇之人”。

在企业经营中，为了不断革新，不断挑战，就必须做好这样的心理准备。同时，为了规划新的项目并切实完成它，还必须具备雄厚的资金和健全的财务体制。

如果要进行某项革新，就需要不受任何外界影响的坚定信念和勇气、每天坚持不懈的努力以及从经验中培育出的“真功夫”。

充分的精神准备和财务的支撑，是进行挑战和革新的必要条件。

向自己的极限挑战

古时船员中流传这样一句格言："一板之下便是地狱。"

创业不久的企业员工的处境与此类似。然而，随着公司的发展和成功，过上富裕的生活被认为是理所当然的事。抱这种思想的年轻人不断增加，员工们的工作态度和热情也随之发生了变化。

这也是自然的事。要乘坐豪华客轮的客人去体会小渔船的危险，跟他们讲什么"一板之下便是地狱"之类的话，他们也根本听不进去。

在刚创立公司的时候，我们抱着危机感，因为除拼命努力之外没有出路。但到了如今，一流的设备也有了，丰厚的资金也有了。身处这种优越的环境，要抱有同过去一样的危机感向新的事业发起挑战，我认为，精神上的困难要远远超过从前。但是，没有这种危机感就不会有我们今日的成功。

今天我们所需要的是：不满足于现状，培养不断向自己的极限挑战的精神力和意志力。只有能够战胜自己的人，才会不惧任何艰苦，为事业成功而投入自己的全部精力。

在这个富裕的时代，要打开新的生路，需要具备把自己逼入极限的勇气和强大的精神力量。

全身心投入经营

所谓真正的经营者，就是指：将自己的全智全能、全身全灵一股脑儿都投入到企业经营中去的人。

无论对重要的经营手法和经营理论在头脑里理解得多么清楚，仅凭这一条，不可能成为一个优秀的经营者。

评价经营者的尺度，就看他能否在长时间中，倾注全部心血，全力奉献，能否抱着强烈的责任感和自我牺牲的精神，做好每一天的工作。

将全身全灵全都投入到企业经营中去，这是极为苛刻的事情。这么做的话，自己没有了自由活动的时间。而且，这么重大的责任，在肉体上精神上都不容易承受。但是，不经历并克服这样的艰难困苦，就不能磨炼出真正经营者的资质。

在最高领导人和一般人之间，存在着天地之差。

企业里存在这样的人：认为自己只是一个被雇用者，一切决定都听凭上司，但另一方面，也存在着为了事业的成功，不惜自我牺牲的人。

一问一答：关于真正的强大

问：所谓“真正的强大”是什么意思？

稻盛答：我所说的“真正的强大”，意思是经营者应该具备勇气。在严酷的商业竞争环境中，员工、客户、股东都对经营者抱有很大的期待，所以经营者不可以采取懦弱的行动。

懦弱的经营者往往爱面子，把事情装扮得比实际更好看，例如不计算退货损失，而把销售额的数字做大；缩小坏账准备金，有意把利润放大等等。

因为害怕批评，经营者故意隐瞒企业的真实情况，这是绝对不允许的。特别在经营状况不好时，需要经营者具备决断能力，拿出勇气，鼓舞员工。

问：你自己的“强大”是从哪里来的？

稻盛答：我认为，我的“强大”，是从深深扎根于我内心的信念而来的。因为有信念而强大的人应该很多。贯彻正道，需要很大的勇气。反过来说，对自己的行为稍有不安或犹豫，自信就立即会动摇，会失去勇气。

听说 99% 的医生，当自己的家人患大病，特别是需要做大手术时，往往拒绝由自己来诊治，拒绝亲自开刀。

关于这一点，可以举出许多理由。大抵是，对亲人做难度很高的手术时，医生害怕到时自己的手不听使唤；害怕情绪波动，使手术失败；怕受感情影响，认为让同事动手比自己更可靠，等等。但是，这是不对的。如果具备真正的勇气，对自己的技术具备自信，那么，不应该把自己所爱的亲人委托给别的医生，而应该自己亲自动手，做出最高水平的手术。

“真正的强大”的秘诀之一是，具备完全客观的、实事求是的勇气。另一个秘诀是，具备超越个人感情的坚定信念，相信自己的能力。

问：能否举例说明会长您自己以及你们经营班子为员工付出自我牺牲的故事？

稻盛答：京瓷在加利福尼亚州的圣地亚哥的工厂改造工程开始后，经营班子首先着手改造与员工关系最密切的场所，比如制造现场、培训中心、食堂和洗手间等，使之焕然一新。把干部办公室的改造放在了最后。

更明显的例子是，京瓷股票首次上市时，如果我们干部把自己手头的股票卖出，我们就能一夜暴富。明明知道这一点，但我们却反对这么做，而是发行新股，这样得来的资金，强化了公司的财务体质。从而使我们经营班子可以为员工建设一个更强大的企业。

说到我个人，几年前，听说北美某城市的市中心有一个房地产再开发项目。京瓷的当地干部打算投资，但我的判断是投资危险，不能使用公司的资金。但因为这个项目对地区发展有利，所以我决定由我自己出钱投资。

结果建起了那个城市最高大楼、购物中心和连片的商品房。但不出我所料，我投入的资金血本无归，而京瓷没有遭到损失。

问：为了保持团队的和谐，做一个受部下欢迎、有人气的领导不是很重要吗？

稻盛答：京瓷在世界各地建立地区本部的时候，我就对各地总部的社长说过，你们要有一种觉悟，就是不怕遭到各分公司员工的讨厌。正如父母严格管教子女一样，行大爱，往往不受欢迎。在变化无常的全球化环境中，想要不断进行挑战的话，有人气、受人欢迎简直是一种奢求。必须时刻抱着危机感采取行动。

个人有人气、受欢迎，同创造和谐的公司氛围完全是两回事。有人气的政治家把自己的国家引向战争，也是可能的事。

第十章 钻研创新

下面要做的事

又是人们认为

我们干不成的事

不断钻研创新

★所谓钻研创新，就是今天的事情要做得比昨天好，而明天比今天又要提高一步。无论看来多么微不足道的事情，怎样改善，都要进行创造性的思考。

★重大的技术开发，并非来自于惊人的发明，并非来自于最初就有的精湛技术。对现有技术进行改进，长时间不间断的努力积累，才是重大技术突破的关键。

★应该让所有人都想出创造性的新点子来改善职场的活动。即使是打扫职场这么简单的作业，如果发挥创造性，进行试验，也能得到改进。符合逻辑的思维方式，一颗富于创造的心，反复试验、不厌其烦的忍耐力，这三者奠定了科学的根基。

★应该把钻研创新当成终身的习惯。

领导者，带头创新吧

领导人必须始终持有一颗创造之心。经常对部下提出新的要求，将创新思维植入团队。

因为缺乏创新思维的团队，不可能获得长期持续的进步和发展。

如果领导人满足于现状，整个团队也会安于现状。不进则退，安于现状的结果是团队的退步。如果领导人是这种状态，那就是这个团队的悲哀。

创造这件事，只有在集中意识、调动潜意识、不断深入的苦苦思索的过程中，才有可能产生。单凭一时的心血来潮，单靠一知半解的肤浅思想，不在自己心中反复琢磨、反复推敲，单是等待突然闪现的灵感，那是行不通的。

所谓创造之心，就是不间断地追求强烈而持久的愿望。

领导人为了实现既定的目标，必须不断地苦苦思索。只有在艰难困苦中挣扎努力，才能创造出新的事物。

思考单纯化

经营者每天都要面对各色各样的问题，其中许多问题进入自己的耳朵时，已经呈现复杂纠结的状态。

经营者必须分析这些问题并考虑解决的办法。但这些问题犹如一团乱麻，要找出明快的答案似乎是不可能的。

在交叉错综的状态下，找不出问题的答案。要解开这团乱麻，就要弄清为什么会产生这个问题，就要回到事情的原点。从现状向前一步步倒退，追踪到问题的发端之处。这样的话，就能明白，事情是如何变化以致到了今天胶着状态的。

几乎所有的场合，在问题复杂化以前的状态都是惊人的简单。就从这简单的状态出发，寻找解决的方法。绝大多数人都企图在问题缠结的状态下求解，结果越搞越乱，问题呈现出复杂怪异的状态，最后谁也弄不清是怎么回事了。

把简单的事情复杂化，这样思考问题的人太多了。

在众多现象中抓住事物的本质，这种能力对于企业经营也好，对于技术方面的研究开发也好，都是非常重要的。

迸发能量

如果不去积极地挑战新领域，对于企业而言，对于社会而言，前途都是一片暗淡。

但是，挑战新领域，无论是技术开发也好，市场开拓也好，都是非常困难的课题。前面有我们未曾经历的障碍，或许还有预计之外的困难突然降临。超越障碍、摆脱困境需要巨大的能量。

从很早开始，我就经常对员工们强调，想成大事，就要进入“狂”的状态，就是把浑身的能量燃烧殆尽——必须持有如此程度的热情。

所谓热情，就是克服困难、冲破障碍、果断发起挑战所必需的能量。燃烧的热情、强烈的意志、坚定的决心以及执着的信念，就是打破一切障碍的能量源泉，克服困难就需要这样的能量。所谓“狂”就是充满着爆发式的、惊人的、非同寻常的能量的那种状态。

击破困难必须集中能量，激发人的潜在能力。这么做就能推动人们向成功迈进。

提升心灵层级

广中平佑先生（京都大学名誉教授。——译者注）曾获得过被称为数学诺贝尔奖的费尔兹奖。他曾用增加“一元”的方法解开过多个无人能解的难题。广中先生说：“所谓复杂现象，不过是单纯事实的投影而已。”

例如，假设有一个平面交叉的十字路口，没有信号灯，有车辆从四面同时开来，就难免发生多次撞车事故。

但是，当增加“一元”，就是提高一个层级，即建立一个立体交叉口，车辆就能畅行无阻。如果从交叉口的正上方向下俯视，看起来仍然是二元的平面交叉，从各方快速开来的车在交叉点似乎马上就会碰撞，但实际上，因为是立体高架，所以不会冲突，车辆顺利通过。

人生也好，人类社会也好，真是多姿多彩、复杂纷纭。职场的人际关系、亲戚朋友关系，往往让人觉得复杂烦人。但实际上，这种看来复杂的人际关系也不过是单纯事实的投影而已。所谓单纯的事实，就是自己的心。企业的领域也罢，科学的领域也罢，其实都一样：因为没能提高“一元”，即一个层级来观察，所以看到的只是一片复杂怪异的现象。许多人都陷于这样的苦境。

在解决复杂问题的时候，首先需要将自己的心性提高一个层次，以高层次的心态观察事物。

从正面迎击困难

创新者是具备开拓精神的人，就是谦虚、有信念、敢于亲自面对一切困难的人。

面对必须解决的问题，无论多么艰难困苦都决不逃避，必须从正面迎击困难。

这时需要紧迫感。千方百计、无论如何，拼命也要把事情做成。同时，很重要的一点是，不能被成见、被先入为主的观念所蒙蔽。必须用纯粹的目光，面对一切局面，观察各种现象。如果带有偏见，受利己心的干扰，就看不到事物的真相。

另外，即使心中焦急，抱有“不管怎样都要尽快解决”的责任感，也切不可忘记细致观察现象的实事求是的精神和谦虚的心态。在真正谦虚的状态下，可以突然发现过去忽略的本质性的东西。这种发现可称之为“神的启示”。

真正的独创性的灵感从哪里来？在尽了一切努力，走投无路，除了祈求神的启示之外已别无他法。只有在这种状况下依然保持谦虚和真挚的态度，依然锲而不舍、孜孜以求，才有可能产生真正独创性的灵感。为此，首先要勇于正面面对困难。

回归原点

在登山时，常常遇到的危险是：被突如其来的浓雾所包围，能见度骤降到零。在这种情况下，必须返回出发时的根据地，以免迷失攀登的路径而陷入绝境。

这种做法，在挑战困难的研究课题或开创新事业时，也同样适用。

在新的领域中屡屡碰壁，走进了死胡同。在这种情况下，人们往往把全部精力放在了克服当下的问题上。但无论怎么努力，总是偏离目标。头痛医头，脚痛医脚，当你只注意解决眼前的具体问题时，不知何时起，你已经远远地脱离了你原有的目标。

自以为克服了某些障碍，因此，或许你正在沾沾自喜。但结果是，你已与本该有的成功相差了十万八千里。

之所以出现这种局面，是因为你随机判断，就事论事，没有回归到事物的原点。只有看准事物的原点、立足于事物本质的判断，才能在未知的领域中获取成功。

真正的创造

已故的京都大学名誉教授田中美知太郎先生说过："创造发明的过程属于哲学的领域，当在逻辑上被证明时，它才成为科学。"这句话感动了我，引起了我深刻的共鸣。

在科学的世界里已经解明的常识，与真正的创造发明之间，隔着一条深深的鸿沟。超越这鸿沟的、飞跃性的发明发现，那是精神领域的产物。

就是说，不管积累了多少科学常识，也无法产生真正的创造发明。

伽利略提出"地动说"——太阳是宇宙中心，但那个时代，"天动说"是常识，大家都认为地球是宇宙的中心。伽利略的“地动说”被认为只是他头脑里单纯的哲学观念，他受到了迫害。但伽利略没有放弃自己的信念。后来“地动说”才获得证实，作为科学被人们普遍接受。

真正的创造，不是已有的科学常识的累积，它从跃动的灵感开始。这种灵感营造了哲学，被证实、被接受以后才变成科学。

只有在否定常识，否定被盲目接受的所谓科学知识之后，才会产生真正的创造。

真正的“无赖汉”

在推进某项新事业的时候，我认为最重要的是：朝着自己认为正确的道路笔直地前行，不管遭遇什么意料之外的苦难，也决不妥协、决不退缩。

在某种意义上可以说，这是追求自由的精神升华后，必然会达到的境界。

所谓无赖汉，一般是指反抗父母、对主流体制举反旗、与权威唱反调、一味坚持自己的主张、一意孤行的人。

但真正的“无赖”，是指无须依赖他人，具备独立精神。不肯随便妥协，不会不懂装懂骗自己。不存依赖心就是自由。不依赖他人，就是只依靠自己。

只从自身寻找行动的依据，无须过多依赖别人。只有这种“无赖”才会孕育真正的创造性。从一切束缚中挣脱出来，获得自由。就能把自己的信念贯彻到底。缺乏这种精神上的自由，创造性就无从产生。

企业界也好，科学或艺术的领域也好，若想进行新的变革，如果没有这种自由的精神，就无法期待真正的成功。

日式经营的精髓

有一个时期，“日式经营”受到了全世界的瞩目。欧美人无法理解“为什么日本的员工会那么卖命地为公司而工作？”几乎所有人都有一种误解：日本一定有某种魔术般的经营管理体系。

但是，他们错了。日本的劳动者具有“以勤为贵”的思想，这是日本自古以来就有的传统价值观。日本企业之所以优秀，就是因为具备这种价值观的员工拼命工作的结果。

但是，再过十年，在富裕中成长的一代人将在企业里占中心位置，个人主义可能会占上风。如果盛行个人主义，人们丧失原来对工作的价值观，那么很多日本企业很可能开始走下坡路。

即使在美国，也有像惠普（Hewlett-Packard）和摩托罗拉（Motorola）这样积极倡导企业理念和哲学而持续发展的企业。因此，经营者不要以为员工们生来勤劳、并具有传统的价值观就万事大吉了，而是要以哲学来教育员工特别是年轻员工，让他们正确认识劳动的意义，让他们明白人生的目的。

日本株式会社没有魔术般的经营管理体系。没有任何法宝可以胜过意气风发、努力工作的员工。

一问一答：关于钻研创新

问：你热心倡导要“钻研创新”。但是，目前处于创业期或者是规模很小的企业，没有足够的研究开发资金，该怎么办？

稻盛答：正因为刚起步，正因为小企业，更是绝对必须“钻研创新”。

问：能不能举例说明？

稻盛答：京瓷的前身京都陶瓷公司成立于1959年。从创业开始，我们就不断想出一些独特的主意、点子，从半导体封装到汽车发动机零件，以至陶瓷菜刀等等，在许多领域寻找精密陶瓷的潜在需求，探索新的应用途径。其中最成功的例子，应该是镶入集成电路（LSI）的陶瓷封装。在陶瓷的薄板之间夹入电极，烧结成高品质的多层陶瓷封装，当时是崭新的构思，专家们都认为不可能成功。但这一产品到1994年销售额就达到了1000亿日元。

后来，我们又运用在半导体封装中使用的薄片多层烧结技术，开发出了陶瓷发热件。现在京瓷的陶瓷发热件已成为独创性的卓越的产品，在汽车和其他行业被广泛采用，1994年销售额已达约50亿日元。

问：作为公司领导人，你怎样鼓励改革创新精神？

稻盛答：第一，我经常向员工们强调“今天要比昨天做得好，明天要比今天做得好”。我们把这叫作“改善”。

第二，作为领导人，我自己就做创新的模范，员工们就会跟上来。所以领导人必须率先垂范。

第三，这样的努力需要一年365天不间断地进行。在这一点上，我动足了脑筋。

最后，我不去幻想让企业一步登天，不去寻找所谓“神奇的特效药”。而是每天钻研创新，不懈努力，让企业一步一步自然地发展。

问：你经常强调，具备明确的目标非常重要。但是，如果革新创新意味着“踏入从未踏入过的领域”，那么，在从未踏入过的领域，怎样才能具备明确的目标呢？

稻盛答：我自己的切身经验就是，针对某个目标，将意志力高度集中。这样的话，这个目标就会渗入进潜意识，这种潜意识会帮助组建模型，进行模拟推演。具备强烈愿望的人都能做到这一点吧。

重要的是：不管现在缺少什么，都必须为实现梦想而不懈努力。在创立京瓷时，我们总是不断地推敲计划，诉说梦想，时时反思，反复讨论。在创立第二电电（现在的KDDI）时也完全一样。大家共认，今天的第二电电挑战了曾经垄断日本通信行业的NTT，并取得了极大的成功。

为创建第二电电，最初我们引进了五名从NTT出来的非常优秀的工程师。每个周末，我和这五个人住进京瓷的迎宾馆“和轮庵”，我们一起讨论第二电电如何设立，如何取得成功。周末一律不休息，连续讨论了六个月，终于明确了我们的目标。

我下决心设立第二电电，就是因为我们的目标已经完全清晰，我心里已经确信这项事业能够成功。虽然有众多的障碍，但因为目标已经明确，所以我们坚信障碍一定能够克服。所以，我没有丝毫的不安或焦虑，相反，我们已经确信：这个梦想一定能实现。

从那时起已过了 11 年，企业高速发展，1994 年 4 月 1 日至 1995 年 3 月 31 日，第二电电总结算销售额已达 5100 亿日元，税前利润已达 690 亿日元。

第十一章 积极思考

乐观构想

悲观计划

乐观实行

积极思考——始终积极向上

★即使面临最困难的状况，也始终保持开朗的、积极向上的态度，热情饱满，不断朝着自己的目标努力奋进。持有一颗坦诚之心，把牢骚不满的、否定的、负面的思想情绪，从心中排除干净。

★作为企业家，无论处于何种严峻的环境中，必不可缺的是：面对严峻环境的坚定决心、努力和意志。即使遭遇困难，也不悲观、消极、讽刺挖苦发牢骚。

★每天自己对自己说：积极开朗的思想和态度一定能带来成功。虚无主义者、悲观主义者、凡事挑剔挖苦的人，他们要坚持努力、取得成功恐怕很难。重要的是领导人的态度，不管是积极向上的，还是消极否定的，都很快会在员工们的态度中反映出来。另外，无论对客户、对供应商、对自己的员工，都要用相同真诚的态度去接洽去对待。

从明确目标开始

抱着疑问或不安的心情，开始一项新的事业。这种情况我一次都不曾有过。

但是，这并不是说，我期待所有的事情都一帆风顺。实际上，我已经预想到，每前进一步都会碰到障碍。然而，我仍然没有一丝的不安。

因为无论是事业的成功，还是到达成功的过程，如果我没有看清楚，我决不会着手开始这项事业。

在前进的道路上有什么障碍在等待，通过什么路径才能避免障碍发生，到达终点。把这一切都在心中清晰地描绘，这就是成功的条件。即使是初次接触的工作，一旦开始动手，仿佛以前已经做过，已经驾轻就熟，必须具备这种感觉。

为了做到这一点，必须睡也想醒也想，持续不断地思索，把意识集中于要解决的课题。要把可能发生的一切情况的细节都考虑透彻，以至不留一点儿疑虑。在头脑里反复进行模拟推演，达到与银幕上清晰的映像一样。

这样的作业，我会持续进行，一直到把我考虑的课题如彩色映像一样，在头脑里呈现。

“鲜明的目标”可以增添达至成功的信心，强化拼命奋斗的意志，同时鼓舞部下的干劲，把事业引向成功。

沉浸于梦想

为使事业获得成功，首先要怀有梦想，沉浸于梦想。

但一般人却常说：在创业时“不可沉醉于梦想”。因为事业成功需要细致的收支计算，需要慎重地拟订计划。在醉心于自己目标的状态下，不宜开展事业——向我们提出忠告的人们认为：沉溺于梦想将会“有梦无谋”，看不清前进方向，非常危险。

然而，我认为，开创事业，碰到困难也不言放弃，并把事业引向成功，梦想或者说激情是绝对必要的。

例如，如果我没有日思夜想、沉浸于挑战垄断企业 NTT 的梦想之中，就不可能启动第二电电（现

KDDI）这项事业。这一事业需要投入庞大的资金，风险巨大，没有任何人能够保证我们成功。如果从常识考虑，只能得出一个结论：参与这项事业是莽撞冒险、有勇无谋的。

只有沉浸于梦想，才会迸发出实现梦想的巨大热情。

当然，在实际着手开展事业的时候，不能还是保持醉于梦想的状态，必须迅速回归到正常的清醒状态。从事业开始的那一瞬间起，就要运用理性判断事物，回避不必要的风险，详尽推敲具体实施方案，把工作做好，把事业引向成功。

不惧怕失败

一次，有位美国记者问我，京瓷公司为什么会如此成功。我考虑片刻后回答说："理由之一，就是失败了，我们也不会责怪员工。"记者脸上露出疑惑的神色，于是我又做了进一步的解释。

在我们公司里，员工敢于为了公司而向新事物发起挑战，即使结果失败了，给公司带来了很大损失，我们也不会给予任何的处罚。因为这种挑战完全是为了公司好，为了全体员工好。只要他们是诚实的，没有利己目的的，哪怕努力的结果失败了，也没有任何怪罪他们的理由。

有时候，员工在某项工作失败后，我们会马上给他另一个挑战的机会。员工本人会吃惊，但即使他的前项工作以失败告终，但因为他在失败中认真学到了很多教训，所以我们相信他应该能够把下面的工作做好。

京瓷的社训是“敬天爱人”，就是敬奉天理、关爱世人。只要遵照这个社训，出于正确的目的和诚实的心态，全体员工都不会惧怕失败，都会全力以赴把工作做得更好。

给予员工失败的自由，员工就敢于不断挑战新事物，就能够鼓起勇气，把工作做得更加出色。

器物制作犹如艺术

不管哪个制造现场，都有做事麻利的作业者和干活粗糙的作业者。前者动作优雅、顺畅、轻松、富有节奏感，动作之间的衔接完美无缺，没有任何多余的举止。看着他工作，简直是一种享受。

与此相反，后者慢慢吞吞，笨手笨脚，动作或停或动，或不必要地变换位置，看他工作简直像是受罪。

如果将两人进行比较，就可以明白，那个工作顺畅优雅的作业者的效率肯定高，而且他不显疲劳。

这种情况还可以以打高尔夫球为例来说明，被称为世界一流的高尔夫球高手们，无论是双足的距离、击球的姿势虽然都有各自的个性，但他们的共同点是：

只要一看他们挥杆的样子，我们就会赞叹他们动作的优美和流畅。这不限于高尔夫球，其他体育项目也一样。可以说，我们的工作也是如此。

不断地付出努力，提高生产效率，制作最高品质的产品，我们就能提高我们动作的水准，让它具有动人的美感。

从常识的束缚中自我解放

尽管经济环境的变化非常剧烈，但有的企业照旧能够保持 5% 的利润率。

这是因为经营者自己认为平均利润率就应该是 5% 的缘故。即经营者持有一种先入为主的观念——利润率无论如何必须维持在 5% 左右。当利润下降时，他们的潜意识会发挥作用，促使他们采取某些行动，让利润率能够保证在 5%。

但是，理所当然的是：在这种经营思想指导下，他们的利润率也不会超过 5%。这就是人的精神力量之所以可怕的地方。

在这种情况下，他们虽然能够维持现状，但大幅度的改进改善却不可能。因为他们在无意识间已形成了一种深刻的固有观念——5% 以上是不可能的——所以他们不会朝利润率提升至 10%~15% 的方向去做努力。

这是因为基于自身的常识制定目标的缘故。只要达到自己认定的 5% 就心满意足了，他们并不奢望比这更高的目标。

不可依据先入为主的观念经营企业。如果不能突破框框，不能成为“心灵自由的人”，就不可能产生独创性的思想，不可能创造高利润率的企业。

经营者应该从常识的束缚中解放出来。

养成正面思考的习惯

为了做出正确的判断，必须正确认识面临的情况。但这却是“言易行难”。

实际上，真相虽然只有一个，但认识却因观察者的视角不同而不同。现象是通过人心中的“过滤器”后呈现的，所以同一个事实可以解释为善、也可以解释为恶。这是我们每天都经历的事情。

事实这个东西，经过人心的“过滤”才被认识。

例如，这里有一位拼命工作的人。如果认为此人珍惜只有一次的人生，所以拼命努力，是一位认认真真的人。那么对他的工作状态评价就是正面的，是“善”的。

但如果认为他全然不顾自己和家人的健康，也不懂得人生的乐趣，只是一个“工作狂”，那么对他的工作状况的评价就是“恶”。

很难判定哪种评价是正确的。因为这个世界上的事情并不能那么简单地区分。但是，我认为，既然认识或评价受主观左右，我们就应该养成一种习惯，就是相信人的善意，从善的角度看待事物。

负面的思维方式既不能解决问题，又不能助人成长。但是，基于正面的思维方式的认识和判断就会带来良好的结果。

乐观构想

乐观构想，悲观计划，乐观实行。

开发新产品、新技术或者开拓新市场等等，凡是在推进新事业中获得成功的人，我认为都是能够乐观构想的人。

在开展新事业的时候，最重要的就是具备无论如何也必须成功的愿望和热情，必须“超乐观”地设定目标。

上天给了我们人无限的可能性，首先要相信这一点。要反反复复对着自己说：“我行！”必须相信自己。

但是，一旦进入计划阶段，就必须悲观了，就必须用慎重的态度对前阶段的构想进行审视，详细地讨论实行中可能遇到什么样的问题，并准备好所有的对策，以便问题发生时实施这些对策。

在对悲观要素进行细致分析、慎重推敲对策的基础上，接下来就需要乐观地行动了。如果在实行的阶段也悲观，就不可能朝着成功的方向采取果断行动。

从乐观到悲观，再从悲观到乐观，这样的意识转换绝对必要。

一问一答：关于积极思考

问：企业经营处于非常困难的情况下，领导人怎样才能做到积极开朗？

稻盛答：领导人在任何时候都必须保持开朗的、积极向上的态度。特别是在景气低迷、公司内部气氛暗淡时，领导人积极开朗的态度就更加重要。为了做到这一点，首先要确信自己的梦想一定能实现，并将这种确信与自己的部下分享。在困难的处境中，正视现实，想出最切合实际的对策，这是很重要的。景气和不景气总是循环的。对恢复景气抱着期待、积极向上的领导人，同悲观失望、认为情况将越来越糟的领导人相比，前者更能带领团队走向更美好的方向。

问：“积极思考”的概念在日常生活中也能应用吗？

稻盛答：一位名叫罗伯特·舒勒的作家的一段话让我印象深刻。他在《成功没有终点，失败不是最终结果》一书中写道：“对人生采取乐观开朗、积极向上的态度，是度过幸福人生最重要的前提条件。”我完全赞同他的观点。重要的是：相信人生会朝着自己期待的方向发展。在人生道路上行走，对所有的事情都要抱积极正面的态度，努力实现自己的梦想。

问：“乐观构想、悲观计划、乐观实行”这一条原则在京瓷是如何实践的？

稻盛答：为了做到“乐观构想”，京瓷公司有举办恳亲会（COMPA）的习惯，就是在下班后，领导人和员工聚集在一起，在一种无拘无束、轻松融洽的气氛中喝酒交谈。所谓“COMPA”是“COMPANIS”的缩写，是朋友、伙伴的意思。伙伴同事共处一堂，不仅增添友谊，度过快乐时光，同时，这还是一个很好的教育场所，彼此互相直率地交换意见，或者一起畅想，刮起“头脑风暴”，一起分享梦想。

我经常在这样的恳亲会上提出新点子、新创意，描绘异想天开的梦想。一个如梦般的主意又会催生另一个如梦般的点子。不知不觉中，在场的所有人员都会沉浸在那个梦想之中。而正是在许许多多奇思怪想中，孕育出了“超乐观”的方法。事实上，正是在这个过程中，有价值的、切实可行的目标和方法才会逐步清晰地浮现出来，许多新的项目计划就是在这种极其乐观的氛围中产生的。

但是，一旦决定着手一个新的项目，就要对可能发生的一切困难及其对策进行认真的讨论，慎重地推敲并制订详细周密的计划。然后向公司提出书面报告，就是所谓“禀议书”。针对这份“禀议书”，公司内各个部门要进行仔细审查，并加进自己的意见。经过这样的程序，这份“禀议书”才会交到最终决策者的办公桌上。

这份“禀议书”不仅反映出项目负责人的能力，更重要的是反映出他对该项目的热切程度。因为要投入公司的宝贵资源，所以这份事业计划必须具备足够的价值，必须切实可行。

但是，不管这个计划多么美好，如果缺乏怀抱责任感、有足够能力确保该项目成功的人才，这个“禀议书”不会被批准。

如果“禀议书”获得认可，项目组就要制订一年的年度计划和每个月的月度计划。这时我就会激励员工：“乐观！大胆！怀抱使命感！”“抱着自豪感，充满自信，一定要把计划变为现实！”

在干部会议上，各个小组都要提出自己的年度计划。计划缺乏乐观性就等于缺乏现实性，就会受到批评。

问：京瓷恳亲会（COMPA）的习惯是如何形成的？

稻盛答：当我觉得我必须更好地理解员工们的想法时，或者当我觉得要让员工们更好地理解我的想法时，我都会主动同他们交流谈话，让他们分享我的梦想和热情，让他们明白我的目标计划对京瓷的发展具有多么重要的意义。如果说话投机，讲到着迷处，大家常常忘记了时间。有时还会一起放声高歌，在轻松愉快的气氛中交换意见。利用一切机会，加深与员工们的互相理解，鼓起他们的干劲。公司变大以后，我仍然采用这种方法激励员工。我们把这称为“COMPA”。

第十二章 决不放弃

只要胸怀强烈的愿望

并从心底里相信到某一日

这个愿望必定能实现

那么就一定能找到

克服困难达成目标的方法

决不放弃——比任何人都更加努力

★哪怕看起来是枯燥无味的工作，但每天都一步一步、踏踏实实、持续不断地付出努力。有没有这种意志，就决定了一个人能否成功。这句话听起来很简单，但是，只有比任何人都更加勤奋、一味埋头苦干的人，才能达至成功。

★要树立看起来遥不可及的远大目标。你或许会觉得这个目标太高远，像现在这样一小步一小步地踏实前行，不可能达至目标。但是，正是靠着这种锲而不舍、孜孜不倦的努力，结果就会成就伟大的事业。

★要记住：所谓伟大的事业，只是每天每时每刻微不足道的工作积累。成功没有捷径。

★要在心中始终抱着坚强的信念。只要你继续努力，不言放弃，就不能说你已经失败。

提升愿望达至信念

要把你的愿望提升到信念的高度。

我认为，我们不应该成为现状的奴隶。

“想这么干！”许多人也有这种愿望，但是，因为社会形势、经济形势不佳，要实现自己的目标非常困难，所以他们往往轻易放弃了自己的追求。对现状的理解愈加深入，梦想就愈不可能实现——他们自己得出了这样的结论。

如果怀有强烈的愿望，不肯放弃自己的梦想，就会不断思考，想出良计妙策去实现自己的愿望。只要抱有发自内心深处的强烈愿望，那么，即使在睡梦中，人的心中仍然会考虑克服障碍的方法。这样做，就会萌生出令人难以置信的创造力。

一旦成为现状的奴隶，就只会得出环境险恶、自己的梦想脱离现实这种消极结论。然而，具备强烈愿望的人却会千方百计、绞尽脑汁去解决遭遇的问题，在目标实现之前决不放弃。

就是说，朝着目标奋勇前进的人、不断遭遇挫折的人、磨磨蹭蹭虚度自己人生的人，他们之间最大的差异，就在于愿望的强烈程度不同，如此而已。

追求自己无限的可能性

“有没有什么好主意啊!”人们往往向外寻求灵感。

但是，我却求诸于己。彻底追究自己现在从事的工作中所隐含的一切可能性，不断地改善改良。这样做的结果，就能实现当初难以想象的重大革新。

有人不知道我经历的艰难，只看到我成功的结果，就认为我有“千里眼”。当然，我并没有那样的天赋。

如果说，我具备“千里眼”，那么，这样的才能，不只是我一个人具备，所有认真热心追求新事物、追求改革改良的人们，都可以掌握这种能力。我想，与其把这种能力称为“千里眼”，不如称之为“先见之明”。

为了在这个不确定的时代中闯出一片天地，获得“先见之明”确实很重要。但这种“先见之明”从外部是求不来的。必须在活用自己的技术、自己的经验的过程中，在彻底追求自己的所有可能性的过程中，从自己的内心中培育起来。

不管时代如何变迁，达至革新成功的唯一王道，就是不知疲倦地、无限度地去追求一切可能性。

严格律己的经营姿态

我要求员工们具备高水准。员工们之所以接受我的要求，理由之一就是：我放弃了世袭制。如果京瓷也是一个家族企业，员工们就会认为我的严格要求不过是为了满足我自己一个家族的私利。

我之所以不采用世袭制，是因为我认为，自己的后代未必能够传承特定的企业经营哲学。

在企业内确立统一的意志、统一的价值观，要靠经营哲学。我认为，不能传承企业哲学，就无法保证企业的持续繁荣。

我会把公司经营的未来托付给这样的员工：他具备高尚的人格，充满激情，又有优秀的才能，能够继承公司的经营哲学。

因为我反对世袭制，所以员工们就会意识到，只要努力，不管是谁，都有晋升为领导人的可能性。员工们就会明白，公司的方针和哲学不是为了达到我个人利己的目的。

正因为如此，我对员工们的要求虽然既多又严，他们却依然甘愿追随。

员工的工作状态是反映经营者心灵状态的一面镜子。

该撤退时坚决撤退

经营者下决断最大的困难之一就是，从事业中撤退的问题。某项事业没有获得预期足够的收益，到底应该在哪里喊停，这是一个艰难的选择。凡事稍做尝试就立即抽手的话，那么，什么事情也不会做出成果。

我的基本原则是：要像猎人追踪猎物一样，不成功不罢手。在这过程中必须千方百计，竭尽全力。中途撤退的事情是极少有的。

先不说物质条件，如果缺乏持久的热情，新事业的成功也好，研究开发的成功也好，都是不可能的。但是，如果热情燃烧殆尽，却仍然看不到成功的希望。这时候，我就会抱着满足的心情，光荣撤退。

前提是完全燃烧，就是说奋战到热情完全燃尽为止。做到这一步仍然不行的话，就必须痛下决断。到了这个时点，我们要明白撤退的时间到了，必须下决心全撤退。

经营者必须在事业必须撤退的时候，痛下决断，毅然撤退。

经营者的最高报偿

如果企业经营很粗放或者方向不对，导致经营状况恶化，那是理所当然。但是，即使经营者非常优秀，充满善意，而且十分勤奋，有时仍然难免陷入经营的困境。例如，由于汇率大幅变动或油价大幅上涨，像这一类国际经济环境变化时，个人的力量很难抵御。

尽管已经竭尽全力，但是由于难以抗拒的外部原因使企业陷于亏损。即使在这种情况下，仍然要追究经营者的责任。

从这一点你就能明白，企业经营者肩负的责任有多大多重。当经营者就一刻也不容懈怠，一刻也不能放松努力。越是这么去想，你或许会觉得，经营者精神压力这么大，责任这么重，恐怕没有任何东西能够予以相对应的报偿。经营者能够获得与其责任相对应的报偿吗？我认为可以获得。

正因为经营者忘我献身的精神，才让众多的员工对现在和将来的生活充满希望，他们才会信赖经营者，尊敬经营者。

用金钱无法衡量的员工的幸福快乐以及他们的感谢之情，才是经营者期望获得的最高报偿。

追求完美主义

在工作中，我贯彻完美主义原则。

有人觉得一件事完成了90%，“就算不错了”，接着可去干别的事了；有的做事务工作的人认为，写错了用橡皮擦擦改改就可以了；还有人认为，完成了90%已经相当见效，没有必要花那么多功夫去追求100%的完美。

但是，在化学实验中，哪怕99%都进展顺利，只要有1%的错误，就会造成全盘失败。几乎所有的技术人员都会追求完美而把最后的1%作为奋斗目标。因为他们懂得最后的小小差错往往是致命的。实际上，这个致命不仅决定了项目成败的命运，有时还直接关系到人的生命。

“这座桥梁在某个结构上抗震性能稍微强一点就好了！”在地震引起的惨祸以后，说这种话已经没有任何价值。因此，几乎所有的工程技术人员都持有追求完美的态度。

在日常的工作中，以完美主义严格自律是艰苦的事。但一旦成为习性，就会不觉其苦。这同发射人造卫星一样，发射人造卫星需要巨大的能量才能克服地球的引力，但一旦卫星进入轨道，几乎不需要能量也能自行运转了。

经营者必须把追求完美主义作为日常的生活习惯。

自己照亮前进之路

在创造的领域内，没有基准可言。正如在漆黑一片、风浪起伏的大海中没有指南针的航海一样。

过去，我也曾有过类似这种航海的经历，我痛苦烦恼，以绝望的心情寻求光明的灯塔。但是，我出航的地方，连航海图上也没有标出，当然也没有灯塔。因此，为了照亮航路，必须由我自己来制作灯塔。

所谓开拓者，就是要走前人从没走过的路。除自己之外，也没有任何的竞争对手。理解这一点，就会懂得追求完美主义是多么重要。

所谓“更好”或者“最好”，是有比较对象时使用的语言。所谓“更好”，是比某个事物更好；所谓“最好”，是在一堆事物当中的“最好”。

然而，对于向着崭新领域进军的开拓者来说，就如同在黑暗中没有指南针的航海一样，必须追求“完美”。这是因为除了自己之外，没有任何东西可以依赖。

追求完美，意味着无止境地追求自己内心的那个理想境界。

在创造领域，没有任何的基准。必须在自己心中寻求指南针，确定方向、向前奋进。

无私的威力

明治维新的核心人物西乡隆盛说过这么一段话："不要钱，不图名，不怕死，这样的人物最难对付。然而，领导人不达到这种无私的境界，就不能将国家大事委任于他。"西乡说的是：只有完全无私的人，才能赐予他高位。

唤起人们积极性的原动力只有一个，那就是领导人的公平无私。所谓公平无私，就是没有谋取自己私利的企图心，不是依照自己个人的好恶或个人的感情做出判断。

要挡住金钱、名声以及明哲保身的诱惑，不是一件容易的事情。但是，领导人如果具备一颗公平无私的心，部下就会尊敬他、追随他。相反，一个以自我为中心的、贪婪心很重的领导人会遭到部下的厌恶。

作为领导人，首先必须表明自己大公无私的态度。接着要为自己的团队树立一个有价值的目标，并亲自带头朝着这个目标努力奋斗。

领导人的一个决断，既可以激励也可以打击部下的士气。如果你希望部下永远追随你，你就不可以任性，不可以以自我为中心，不可以率性而为，不可以以自己的好恶对事物做出判断。

现在必需的“正确的组织”

为了经营企业，必须有这样那样的组织。但我没有这类先入为主的想法。然而几乎所有的经营者的思维方式都是：“首先得有组织”。

一般的经营者，因为学习过有关组织的理论以及人事管理的方法，所以往往认为“这样那样的组织是必要的”；或者他们以过去遭遇的经验为基础设置组织。但抱有这种固定观念，就不可能产生真正高效率的组织。

就我而言，为了维系公司，为了高效率地运行公司，现在这个时点上必要的组织，这才是所谓“正确的组织”。基于这种思考，只有在需要的时候才建立相应的组织，并且只配置最少的人员来发挥该组织的功能。不是为了支撑组织才来经营企业，而是为了更好地经营企业才来建立必要的组织。

在创建京瓷的时候，我既没有经营的理论知识，又没有经营的经验，连有关经营的常识也一无所知。为此，我不得不对有关企业经营的一切现有的既成概念进行重新审视，从这里出发开始我的旅程。

事物的本质究竟是什么？事物的道理、价值、必要性在哪里？在不断的自问自答中推进事业的发展，这种态度是必要的。

非洲土著的智慧

原京都大学名誉教授、已故的伊谷纯一郎先生是研究灵长类动物的权威，他曾经多次去非洲刚果的深山老林，进行访问研究。当时，为了研究黑猩猩，他路过一个小村庄，正好有机会观察那里的土著居民狩猎的情景。伊谷先生目击的事情令人称奇。

村人以团队集体出动的方式捕捉野鹿或斑马，如果全员都参与狩猎，就可以捕获许多猎物，保证大家吃得足够而且还有剩余。然而，让人意外的是：只要有一个人捕获一头猎物，整个团队就马上停止狩猎。捕到猎物的人意气风发，其他人都跟着他回到村庄。

然后，依据既定的规则向全员分配猎物。捕到猎物的人拿到最大、最美味的一块，并将它分给自己的近亲和友人。而这些亲友也如法炮制，再分一部分给自己的近亲和友人。这样，每个人都有份，而每个人所得的分量与捕获者的亲疏关系成正比。

伊谷先生问其中的一位年轻人："为什么自己不再另捕一头？"年轻人答道："有这个必要吗？虽然我只分得了一小块，但已经足够吃了。"非洲土著居民的生活遵循与森林共生的法则，并且以此为满足。

为了与环境和谐共存，就不可存贪欲之心。

向猩猩学习

黑猩猩是杂食动物，以果实和树叶为主食，但偶尔也会捕杀小动物，吃它的肉。黑猩猩比想象的更强壮，甚至能够捕捉野鹿和其他哺乳动物。

同前述的村人一样，黑猩猩也是团队狩猎。当一只大猩猩捕获一只较大的猎物时，同样全员都会停止狩猎。众猩猩围绕在猎物周围，由杀死猎物的猩猩把肉分配给大家，这时候，众猩猩又叫又跳，非常兴奋。

黑猩猩是聪明的灵长类动物，是与人类最接近的物种之一。但是，黑猩猩也懂得节制，只捕杀必要数量的动物，它们也具备维持森林再生产、维持生物循环的智慧。看到这一点，伊谷先生极为惊讶。

开始时，伊谷先生认为，前述非洲土著居民设定“一次只捕一头猎物”的规定，只不过是他们原始的习惯。但是，后来伊谷先生意识到，原住民是在遵循与森林共生的法则，而且连黑猩猩也在遵循这一极为原始的法则。从许多方面来看，他们遵循的原则要比起现代的社会体制先进得多。

同狩猎一样，在商业的世界里，如果无止境地追求规模的扩张，也会切断再生产的循环，最终导致自己的毁灭。

一问一答：关于决不放弃

问：所谓“决不放弃”，具体意味着什么？

稻盛答：我想表达的意思是：要自觉地坚持“不懈的努力”。就是不怕困难，不要焦躁，朝着目标，持续进行不屈不挠的、不停顿的努力。坚持这样的努力，一步一步前进，就能成就伟大的事业。轻视小事的人不可能获得大的成功。即使看来是微不足道的工作，也要“不懈努力”地去做。

问：在企业经营中，强调“精神”重要性的公司只有京瓷一家吗？看重精神层面的公司如果还有，能举例说明吗？

稻盛答：1980年，我有幸与舒兰博格公司（Schlumberger）的时任会长、已故的吉恩·瑞鲍得（Jean Riboud）先生会晤。舒兰博格公司是总部设在法国的一家国际化企业，从事石油勘探事业，当时在50多个国家拥有约7万名员工。另外当时吉恩·瑞鲍得先生还兼任了京瓷的重要客户快捷半导体公司（Fairchild Semiconductor）的新任总裁。

在会见时，瑞鲍得先生和我都认识到，舒兰博格公司与京瓷公司的相似之处在于：两家公司都超越了物质主义，都重视精神的作用，都具备企业哲学，都相信哲学的力量，都强调哲学的极端重要性。

我认为，这是成功企业共有的特征。

后 记

在泡沫经济时期，许多日本企业收购了许多美国企业，但结果都很惨，几乎所有的企业收购都以失败告终，日本企业蒙受了巨大的损失。

在这种状况中，京瓷在 6 年前（1990 年）并购的美国大型电子零部件企业 AVX 却一枝独秀，取得了巨大的成功，真是一个可喜的例外。该企业在这六年间销售额增长至 1990 年的 3 倍，约 11 亿美元，税前利润增长至 1990 年的 6 倍，约 1 亿 7000 万美元，并于 1995 年夏天在纽约证交所再次上市。

那么，京瓷的收购为什么会成功呢？

一般来说，日本企业在收购美国企业之后，就会更换企业经营者，让日本人充当企业的领导人。这时候，从日本派来的领导人或者将日本总公司的经营方式强加于美国的企业，或者把一切都委托给当地的干部。但是京瓷的稻盛会长却采取了不同的做法。为了尊重对方，重视与他们建立相互信赖的关系，他让原有的经营者继续留任。同时，在收购以后立即行动，努力与 AVX 的干部们共有京瓷的经营哲学。

在社会风俗、国民性、企业文化完全不同的美国，之所以要让当地的干部接受自己的经营哲学，是因为稻盛会长持有一种信念：为了与美国的干部员工们一起推动事业的发展，共同拥有正确的经营哲学是必不可缺的条件。

经过长时间的认真讨论和坦率的交换意见，AVX 的干部们接受了京瓷的经营哲学，认识到了这种哲学的优越性，认可了以这种哲学为基础展开经营活动。

之后，在被日本企业收购的美国企业的业绩普遍低迷的状况中，AVX 公司却取得了飞跃性的发展。这一事实表明，企业的经营哲学有多么重要。

为了让 AVX 的干部们理解这种经营哲学，在公司内部举办了学习会。这时候，使用了我社出版的稻盛会长的著作《提高心性　拓展经营》的英译本。我们觉得很光荣。

在本书中，收录了在学习会上稻盛会长最为重视的人生哲学和经营哲学，还收录了稻盛会长与AVX干部的对话。本书先由美国的麦格劳希尔出版社以*A Passion for Success*为书名出版，本书是其日文版本。AVX公司的成功证实了稻盛哲学的价值。在本书中，稻盛哲学的表述质朴易懂，不仅适合于经营干部，而且适合于学生以及其他人员阅读，我们希望有更多的人能读一读这本精彩的著作。

图书在版编目（CIP）数据

活法. 贰, 成功激情：小开本 / (日) 稻盛和夫 著；曹岫云 译. — 北京：东方出版社，2019.2
ISBN 978-7-5207-0659-9

Ⅰ. ①活…　Ⅱ. ①稻… ②曹…　Ⅲ. ①人生哲学—通俗读物②成功心理—通俗读物
Ⅳ. ①B821-49②B848.4-49

中国版本图书馆CIP数据核字（2018）第254429号

活法贰：成功激情（小开本）
（HUOFA ER: CHENGGONG JIQING）

作　　者：［日］稻盛和夫
译　　者：曹岫云
责任编辑：贺　方
出　　版：东方出版社
发　　行：人民东方出版传媒有限公司
地　　址：北京市东城区东四十条113号
邮　　编：100007
印　　刷：鸿博昊天科技有限公司
版　　次：2019年2月第1版
印　　次：2019年2月第1次印刷
印　　数：1—10 000册
开　　本：787毫米 × 1092毫米 1/32
印　　张：10
字　　数：140千字
书　　号：ISBN 978-7-5207-0659-9
定　　价：48.00元
发行电话：（010）85924663　85924644　85924641

稻盛和夫的实学（小开本精装）

稻盛和夫的实学
经典珍藏版（全5册）

稻盛和夫的实学
经营与会计（小开本）

稻盛和夫的实学
创造高收益（小开本）

稻盛和夫的实学
活用人才（小开本）

稻盛和夫的实学
经营三十四问（小开本）

稻盛和夫的实学
阿米巴模式（小开本）